「せん妄ハイリスク患者ケア加算」の流れに沿った介入フローチャート

入院前または入院後3日以内（一次予防）

STEP 1 リスク因子の確認（準備因子の特定）

☐ 70歳以上	・カルテなどで確認
☐ 脳器質的障害	・脳梗塞，脳出血，脳腫瘍，頭部外傷の既往を確認
☐ 認知症	・認知症診断名や抗認知症薬内服の有無を確認 ・ツールを用いた評価（例：OLDなど）
☐ アルコール多飲	・ツールを用いた評価（例：AUDIT-Cなど）
☐ せん妄の既往	・過去に入院歴・手術歴がある場合は家族に確認
☐ リスクとなる薬剤（特にベンゾジアゼピン受容体作動薬）の使用	・持参薬，お薬手帳，紹介状などで確認
☐ 全身麻酔を要する手術後またはその予定があること	・カルテなどで確認

↓ 1つでも当てはまる場合

STEP 2 せん妄の予防対策（直接因子や促進因子の除去）

- 患者および家族への説明（パンフレットや動画）
- 不眠時・不穏時指示
- せん妄ハイリスク薬（BZ受容体作動薬）の減量・中止・変更／使用回避
- せん妄予防ケアの立案・実施（環境調整やコミュニケーションの工夫など）

↓

入院中（二次予防）

STEP 3 せん妄の早期発見

- ツールを用いた評価（病棟とICUで別ツールを使用）
- 臨床的評価（見当識障害／注意障害）
- 他疾患との鑑別（認知症／うつ病／アカシジア／レストレスレッグス症候群）

●評価のタイミング
- 術後3日以内は集中的に
- 急性疾患では入院時から定期的に
- 「何かおかしい」「いつもと違う」と感じた時
- 状態変化時や薬剤変更時

↓ せん妄あり

STEP 4 せん妄の治療

- 原疾患療法（原疾患の精査）
- 薬物療法（主に抗精神病薬）
- 非薬物療法（環境調整やコ…）

著 ◆ 井上真一郎

せん妄診療
実践マニュアル

改訂新版

謹告

　本書に記載されている診断法・治療法に関しては，発行時点における最新の情報に基づき，正確を期するよう，著者ならびに出版社はそれぞれ最善の努力を払っております．しかし，医学，医療の進歩により，記載された内容が正確かつ完全ではなくなる場合もございます．

　したがって，実際の診断法・治療法で，熟知していない，あるいは汎用されていない新薬をはじめとする医薬品の使用，検査の実施および判読にあたっては，まず医薬品添付文書や機器および試薬の説明書で確認され，また診療技術に関しては十分考慮されたうえで，常に細心の注意を払われるようお願いいたします．

　本書記載の診断法・治療法・医薬品・検査法・疾患への適応などが，その後の医学研究ならびに医療の進歩により本書発行後に変更された場合，その診断法・治療法・医薬品・検査法・疾患への適応などによる不測の事故に対して，著者ならびに出版社はその責を負いかねますのでご了承ください．

改訂にあたって

　この「せん妄診療実践マニュアル」は，2019年10月に初版を発行し，これまで多くの方からさまざまな反響をいただきました．この場をお借りして，深く御礼申し上げます．

　初版の発行後，せん妄をめぐって大きな動きがあり，2020年度の診療報酬改定において，「せん妄ハイリスク患者ケア加算」が新設されました．この加算を契機に，各病院には組織としてせん妄の予防に取り組むことが求められるようになった一方，現場の医療者はきわめて多忙であるという実情を踏まえると，より効果的・効率的な介入が大きな課題と考えられます．

　そこで，初版からまだ3年ほどしか経っておりませんが，この度「せん妄ハイリスク患者ケア加算」算定の流れに沿って，予防的介入のフローチャートを全面的に改編しました．また，特にご好評いただいていた「せん妄の薬物療法」の内容をより充実させ，新しい睡眠薬（オレキシン受容体拮抗薬）の使い分けなどについても，丁寧に解説しました．さらには，コラムの数を増やし，せん妄対策における重要なポイントを具体的に示したほか，応用編では新たな知見も踏まえて，十分な加筆を行いました．

　このように，本書は初版にはなかった内容や構成となっており，全体的なアップデートのみならず，できるだけ多くの工夫やエッセンスを詰め込み，新しく生まれ変わったのが，この改訂新版の特徴です．

　実臨床で効果的・効率的なせん妄対策を行うには，本書さえあれば十分と自負しています．せん妄対策にかかわる多くの方にとって，初版以上にお役立ていただけることを願ってやみません．

2022年9月

井上 真一郎

はじめに（初版の序）

　多くの医療現場では，せん妄対策が急務となっています．かつてせん妄は，発症後の対策に重点が置かれていたように思います．近年は高齢患者の増加などによってせん妄の発症が加速度的に増えており，せん妄対策における医療者の関心は確実に「予防」にシフトしています．

　せん妄の予防は，大きく一次予防（せん妄の発症を防ぐ）と二次予防（せん妄を早期に発見する）の2つに分けられます．実践的・効果的な予防対策を行うためには，対策内容を3因子（「準備因子」「直接因子」「促進因子」）ごとに分類し，時系列に沿って理解しておくことが有用です．また，せん妄は多要因が複雑に絡み合って発症することから，できるだけ多職種でかかわることがポイントになります．そのためにも，医療スタッフ全体の知識の底上げが必要です．

　これらのことから，①予防，②3因子，③時系列，④多職種介入，⑤スタッフ教育の5つがせん妄対策のキーワードと考えられます．

　本書は，この5つのキーワードを特に意識して，医師やメディカルスタッフのためにまとめた超実践的マニュアルです．基礎編では，必ず知っておきたいせん妄の基礎的な知識，および標準的なせん妄対策の流れを具体的に解説し，実践編ではシチュエーションごとにやるべきことがすぐに確認できるように工夫をしました．いずれも図表を豊富に取り入れ，時系列に沿った内容になっています．ぜひ実臨床にお役立てください．

2019年9月

井上 真一郎

目次

改訂にあたって …………………………………………………………… 3
はじめに(初版の序) ……………………………………………………… 5

基礎編

● せん妄対策の基礎知識　　12

①せん妄対策とは ………………………………………………… 12
②「せん妄」とは …………………………………………………… 12
③「せん妄の3因子」について …………………………………… 14
④「3因子」で考えるせん妄Q&A ………………………………… 18
⑤せん妄対策は「リスクの引き算」と考える ……………………… 24

実践編

1章 せん妄に対する予防的介入　　30

STEP1　せん妄のリスク因子の有無を確認する　　32

①高齢(70歳以上) ……………………………………………… 34
②脳器質的障害
　(脳梗塞,脳出血,脳腫瘍,頭部外傷など) ……… 34
③認知症 ………………………………………………………… 35
④アルコール多飲 ………………………………………………… 41
⑤せん妄の既往 ………………………………………………… 46
⑥リスクとなる薬剤
　(特にベンゾジアゼピン受容体作動薬)の使用 …… 48
⑦全身麻酔を要する手術後
　またはその予定があること ……………………… 53

STEP2　せん妄の予防対策を行う　　56

①パンフレットや動画を用いて
　患者および家族にせん妄の説明を行う ……………… 57

②せん妄ハイリスクを考慮した不眠時・不穏時指示
　　を出しておく ……………………………………… 64
　③内服中のせん妄ハイリスク薬(特にBZ受容体作動薬)
　　を減量・中止し，新たにせん妄ハイリスク薬を
　　入れない ………………………………………… 81
　④せん妄予防のための身体管理や環境調整を行う …… 91

STEP3　せん妄の早期発見につとめる　99
　①ツールを用いてせん妄の早期発見を行う………… 100
　②臨床的な評価でせん妄の早期発見を行う………… 105
　③他疾患との鑑別を行う ……………………………… 112

2章　せん妄に対する治療的介入　134

STEP4-①　原因療法　136
　①身体疾患の精査・治療，原因薬剤の中止………… 136
　②特に注意すべき直接因子 …………………………… 139
　③低活動型せん妄……………………………………… 142

STEP4-②　薬物療法　142
　①薬剤を選択する ……………………………………… 145
　②用量を決める ………………………………………… 173
　③投与時間を決める…………………………………… 173
　④評価する ……………………………………………… 175
　⑤処方内容を再調整する …………………………… 180

STEP4-③　非薬物療法　184
　①意識障害・注意障害を考慮した対応 …………… 184
　②急性発症・日内変動を考慮した対応 …………… 186
　③記憶障害・見当識障害・視空間認知障害・
　　幻覚を考慮した対応………………………………… 187
　④睡眠・覚醒リズム障害を考慮した対応 …………… 188
　⑤感情の障害を考慮した対応 ……………………… 188
　⑥その他 ………………………………………………… 193

目次

	せん妄への対応のメリット・デメリットを考える	196
	①対応のメリット・デメリット	196
	②身体拘束の実状	198

応用編

1章 術後せん妄（ICUにおけるせん妄） 204

	はじめに	204
STEP1	せん妄のリスク因子の有無を確認する	206
	①術後せん妄の既往の有無を確認	206
STEP2	せん妄の予防対策を行う	207
	②術前に薬が内服できない場合の薬剤指示	207
	③術後を想定したケア	208
STEP3	せん妄の早期発見につとめる	210
	④CAM-ICUまたはICDSCを用いた評価	210
STEP4	せん妄の治療を行う	212
	⑤ICUではDEXを中心とした薬物療法	212
	⑥複数重なる促進因子を除去	213
	術後の注意点	214

2章 アルコール離脱せん妄 220

	はじめに	220
STEP1	せん妄のリスク因子の有無を確認する	222
	①アルコール依存症（可能性含む）の有無を確認	222

【アルコール依存症がほぼ確実の場合】

STEP2	せん妄の予防対策を行う	224
	②ベンゾジアゼピン受容体作動薬の予防投与 ……	224
	③ビタミンの補充………………………………………	227
STEP3	せん妄の早期発見につとめる	227
	④小離脱の評価…………………………………………	227
STEP4	せん妄の治療を行う	230
	⑤ベンゾジアゼピン受容体作動薬を中心とした薬物療法 …………………………………………	230

【アルコール依存症の可能性がある場合】

STEP2	せん妄の予防対策を行う	231
	②小離脱が出現した場合の薬剤指示 ………………	231
	③ビタミンの補充………………………………………	232
STEP3	せん妄の早期発見につとめる	232
	④小離脱の評価…………………………………………	232
STEP4	せん妄の治療を行う	233
	⑤ベンゾジアゼピン受容体作動薬を中心とした薬物療法 …………………………………………	233
	アルコール依存症の治療	235

3章 緩和医療におけるせん妄　237

	はじめに	237
STEP1	せん妄のリスク因子の有無を確認する	239
	①身体的重症度が高い場合は「せん妄ハイリスク」…	239
STEP2	せん妄の予防対策を行う	239
	②痛みに対するケア……………………………………	239
STEP3	せん妄の早期発見につとめる	240
	③低活動型せん妄の評価 ……………………………	240

目次

STEP4　せん妄の治療を行う　241
　④直接因子を用いてせん妄の治療可能性を評価 … 241
　⑤-1 可逆性せん妄へのアプローチ ………………… 244
　⑤-2 不可逆性せん妄へのアプローチ ……………… 247

巻末資料 ………………………………………………… 263
　せん妄ハイリスク患者ケア加算に係るチェックリスト／
　Confusion Assessment Method（CAM）／ Delirium
　Screening Tool（DST）／ Confusion Assessment Method
　in the ICU（CAM-ICU）／ Intensive Care Delirium
　Screening Checklist（ICDSC）／
　資料リスト

薬剤リスト ……………………………………………… 269

索引 …………………………………………………… 275

column
- せん妄のデメリットとは ………………………………… 26
- ベンゾジアゼピン系薬剤と非ベンゾジアゼピン系薬剤について ………………………………………………… 54
- レビー小体型認知症について ………………………… 119
- EPS（Extra-Pyramidal Symptoms：錐体外路症状）とは… 178
- せん妄の患者さんに服薬を拒否された場合 ………… 183
- せん妄に関するカンファレンスのヒント …………… 201
- 岡山大学病院せん妄対策チームの取り組み ………… 216
- 「がん患者におけるせん妄ガイドライン 2022 年版」について ………………………………………………… 261

基礎編

基礎編では,
必ず知っておきたいせん妄の
基礎的な知識について,
具体的に解説します.

基礎編

せん妄対策の基礎知識

① せん妄対策とは

せん妄対策は,予防が最も重要です.適切な予防対策を行うことで,せん妄の発症を未然に防ぐことが可能となります.

ただし,いくら適切な予防対策を行っても,すべてのせん妄を防ぐことはできません.せん妄の発症は患者さんの転倒やご家族の混乱,医療コストの増大などを招くため,適切な治療やケアについても十分理解しておく必要があります.

このように,せん妄対策は予防的介入と治療的介入に大別されます.そこで本書では,予防的介入の内容を「せん妄ハイリスク患者ケア加算」算定の流れに沿ってフローチャートで示し,続いて治療的介入の3本柱(原因療法,薬物療法,非薬物療法)について詳しく解説します(実践編参照).

では,まずそのために必要な基礎知識について,確認しておきましょう.

②「せん妄」とは

せん妄とは,身体疾患や薬剤,手術などが原因となり,軽度から中等度の意識障害をきたした状態です. 身体治療を受けているすべての患者さんにみられる可能性があり,特に高齢者や認知症の患者さんではせん妄が起こりやすいとされています.

せん妄では,意識障害を基盤として,さまざまな症状が現れます(図1).例えば,夜眠れなくなって逆に日中ウトウトしてしまったり(**不眠,昼夜逆転**),日にちや時間,場所の感覚がわかりにくくなったり(**見当識障害**),ありもしないものが見えたり(**幻視**),

さらには怒りっぽくなって暴力がみられることもあります（**興奮，易怒性**）．これらの症状が短期間のうちに出現し（**急性発症**），夕方から夜間にかけて悪化する（**日内変動**）という特徴があり，身体治療の継続に大きな支障をきたします．

不眠，昼夜逆転

見当識障害

幻視

興奮，易怒性

図1 せん妄でみられる症状

　せん妄の中核症状は，「意識障害」です．これは，「せん妄とは脳の機能不全であり，**精神的なストレスが直接原因となって起こるものではない**」ことを理解しておくためにも，きわめて重要な概念です．ただし，「せん妄は意識障害である」と言われても，せん妄の患者さんとはある程度，意思疎通がとれることも多いため，あまりピンとこないかもしれません．

　一口に意識障害といっても，その程度はさまざまです．せん妄でみられる意識障害は，決して重度ではなく，すでに述べたように軽度から中等度です（図2）．すなわち，ぼんやりしているかと思うとそうでないときもあるため（日内変動），意識障害と見なさ

れにくいのです．したがって，意識障害があるかどうかについては，1日の様子をトータルして評価する必要があります．

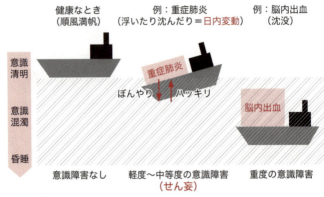

図2 せん妄と意識障害

なお，意識障害の鑑別については，「AIUEOTIPS（アイウエオチップス）」という覚え方が有名です（表1）．せん妄の原因を調べる際にも参考になるため，ぜひ知っておきましょう．

③「せん妄の3因子」について

せん妄は，いろいろな要因が複雑に絡み合って発症するため，やみくもにアプローチをしても決してうまくいきません．そこで，せん妄に対して効果的・効率的にアプローチするために，**せん妄の3因子**（**準備因子，直接因子，促進因子**）[1]を必ず覚えておきましょう．

せん妄の3因子を端的に表現すると，**準備因子は「せん妄が起こりやすい素因」，直接因子は「せん妄の引き金となるもの」，促進因子は「せん妄を誘発しやすく，悪化・遷延化につながるもの」**となります（表2）．

ここでは，せん妄を，たき火の「火」に例えてみます．「火」が燃えるためには，下地となる「薪（まき）」，火をつける「ライター」，

表1 AIUEOTIPS（アイウエオチップス）

A	Alcohol	アルコール （急性アルコール中毒，ウェルニッケ脳症）
I	Insulin	インスリン （低血糖／糖尿病性ケトアシドーシス）
U	Uremia	尿毒症（尿毒症性脳症）
E	Encephalopathy	脳症（肝性脳症，高血圧性脳症）
E	Endocrinopathy	内分泌疾患 （甲状腺クリーゼ，甲状腺機能低下症，副腎不全）
E	Electrolytes	電解質異常 （低 Na 血症，高 Ca 血症，低 Mg 血症）
O	Opiate or other overdose	薬物中毒
O	Oxygen	低酸素血症，CO_2 ナルコーシス，一酸化炭素中毒
T	Trauma	頭部外傷
T	Temperature	低体温／高体温（熱中症，悪性症候群）
I	Infection	感染症（脳炎，髄膜炎，脳膿瘍，敗血症）
P	Psychogenic	精神疾患 注：精神疾患によってせん妄をきたすことはありません
P	Porphyria	ポルフィリン症
S	Shock	ショック
S	Stroke	脳血管障害（脳梗塞，脳出血，クモ膜下出血）
S	Seizure	てんかん

表2 せん妄の3因子

準備因子	高齢（70歳以上），脳器質的障害（脳梗塞，脳出血，脳腫瘍，頭部外傷など），認知症，アルコール多飲，せん妄の既往，リスクとなる薬剤（特にベンゾジアゼピン受容体作動薬），全身麻酔を要する手術後またはその予定があること
直接因子	身体疾患，薬剤，手術，アルコール（離脱）
促進因子 （誘発因子）	身体的苦痛（不眠，疼痛，便秘，尿閉，不動化，ドレーン類，身体拘束，視力／聴力低下など），精神的苦痛（不安，抑うつなど），環境変化（入院，ICU，明るさ，騒音など）

そして火がつきやすくなったり燃え続けたりするための「油」が必要です．せん妄では，「薪」に当たるものが準備因子，「ライター」が直接因子，「油」が促進因子になります（図3）．

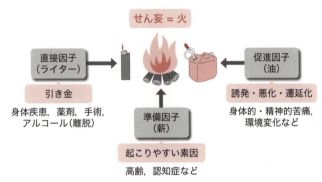

図3 「たき火」とせん妄の3因子

岡山大学病院 精神科リエゾンチーム 作成

　まず，準備因子ですが，これがなければそもそもせん妄は起こりません．つまり，薪さえなければ，火はつきようがないのです．ただし，準備因子は，「高齢」や「認知症」のように，すでに患者さんに備わった固有の要因であるため，残念ながらとり除くことはできません．とはいえ，準備因子はせん妄の発症リスクを評価するうえで必須の概念であり，**せん妄予防対策の第一歩は準備因子の特定からはじまる**といえます．「せん妄ハイリスク患者ケア加算」でも，最初にせん妄のリスク因子を確認することが求められていますが，これはすなわち準備因子の評価に他なりません．

　次に，**せん妄を起こさない，あるいは治すためには，直接因子と促進因子をとり除くことが必要です**．

　なかでも，直接因子の除去は特に重要です．つまり，薪がたくさん並べてあって，いくら油がまかれていても，ライターがなければ決して火はつきません．また，ライターをとり除くことで，いったん火が消えてしまえば，もう二度と火がつくことはないのです．したがって，せん妄を引き起こしている身体疾患の治療や

原因薬剤の減量・中止といった，直接因子に対するアプローチが最も重要といえます．これらは，主に**医師**や**薬剤師**の役割です．

直接因子の除去と並行して，可能な限り促進因子をとり除きます．つまり，油が回収できれば，火はつきにくくなりますし，燃え続けることもありません．これは，患者さんの身体的・精神的苦痛を和らげるという非薬物療法的なアプローチのため，**看護師やご家族**がキーパーソンとなります．

最後に，せん妄における医療者の最大の関心事は，間違いなく薬物療法です．興奮状態となっている目の前のせん妄の患者さんに対して，どの薬を使えばよいのか？効果が乏しい場合は，その薬を増やせばよいのか？それとも，他の薬に切り替えるのか…？

このように，実臨床では，ともすれば薬物療法に重点が置かれます．ただし，決して薬がせん妄を治すのではありません．すでに述べたように，せん妄の根本的な治療は，「**原因療法**」とよばれる，直接因子の除去（火種となっているライターをとり除くこと）です．**せん妄における薬物療法は，あくまでも症状をマネジメントするための「対症療法」**（燃えている火に水をかけているだけ）に過ぎないことを念頭に置き，決して薬物療法のみに終始しないよう，強く肝に銘じておきましょう（図4）．

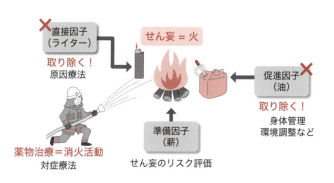

図4 せん妄に対するアプローチ

岡山大学病院 精神科リエゾンチーム 作成

④「3因子」で考えるせん妄 Q&A

　せん妄を3因子で理解しておくと，実臨床のいろいろな場面でとても役立ちます．では，よくあげられるせん妄の疑問について，3因子をもとに考えてみましょう．

Q1　せん妄に対する薬の減量・中止のタイミングについて

　肺炎でせん妄になった患者さんに対して，リスペリドン2 mgで夜間良眠が得られ，興奮なども落ち着いてきました．投与中のリスペリドンは，どのタイミングで減量・中止すればよいのでしょうか？

　一見するとリスペリドンがせん妄を治したかのようにみえますが，リスペリドンはあくまでも対症療法としての「水」に過ぎません．実際には，火種である「ライター」をとり除かない限り，水をかけるのをやめるとまた火がついてしまいます．したがって，「ライター」がとり除かれた段階，すなわち直接因子である肺炎が改善したタイミングで，リスペリドンを減量・中止するのがよいと考えられます．

Q2　せん妄に対する身体拘束の解除のタイミングについて

　高Ca血症でせん妄になった患者さんですが，興奮が強く暴力的になったり，点滴ラインを抜去したりするため，やむを得ず身体拘束をしています．定期カンファレンスでは「身体拘束を解除すると，また暴力的になって，点滴ラインを抜去するのではないか」という意見が大半を占め，なかなか解除できません．どうすればよいのでしょうか？

　興奮や暴力，ライン抜去は，いずれもせん妄で起こっている事

象です．逆にいうと，せん妄が軽快すれば，そのような事象はなくなるはずです．カンファレンスでは，せん妄の直接因子や促進因子がとり除かれているかという視点で，適切な評価ができているでしょうか？

このケースでは，直接因子である高Ca血症が改善すればせん妄はよくなり，興奮もおさまってくるはずです．もし，高Ca血症が改善傾向であるにもかかわらず興奮が続く場合は，むしろ身体拘束自体がせん妄の促進因子になっている可能性があります．身動きがとれないことは心身ともに大きなストレスとなり，強い促進因子となりえるのです．

このように，身体拘束をいつまで続けるかを判断する際，せん妄の症状だけでなく，直接因子や促進因子を確実に評価することが大切です．また，ケースによっては，短時間の解除や拘束部位を減らすなど，部分的な解除を行うことも検討しましょう（p198参照）．

Q3 ICUでせん妄を発症し，なかなか転棟できないケースについて

重症肺炎の患者さんで，ICU入室後にせん妄を発症したのですが，身体症状は改善傾向でデータ的にも順調に経過しているにもかかわらず，興奮が強いためなかなか一般病棟に移ることができません．どうすればよいのでしょうか？

ICUは，きわめて多くの促進因子（無機質な部屋，強制臥床，モニター音など）がみられる，いわば究極の非日常的環境です（表3）．重症肺炎という直接因子が改善傾向にあるにもかかわらず興奮が強いということであれば，ICUが強い促進因子として働き，せん妄の悪化や遷延化につながっている可能性がありそうです．「興奮がおさまらないからICUから出られない」と考えるのではなく，「ICUそのものがせん妄改善の妨げになっていないか？」

という視点をもつようにしましょう．

表3　ICUにおける促進因子

身体的苦痛	・不眠 ・便秘 ・胃管 ・ミトン	・疼痛 ・尿閉 ・ドレーン ・つなぎ服	・呼吸困難 ・強制臥床 ・カテーテル ・4点柵	・掻痒感 ・輸液ルート ・抑制帯 など
精神的苦痛	・不安	・抑うつ	・面会制限	など
環境変化	・無機質な部屋 ・アラーム音	・明るさ ・搬送音	・モニター音	など

Q4　術後せん妄なのになかなか改善しないケースについて

大腿骨頸部骨折の患者さんで，手術後にせん妄を発症したのですが，2週間経ってもせん妄がよくなりません．術後せん妄でも，そこまで長引くことはあるのでしょうか？

　術後せん妄は「手術」を直接因子として発症しますが，手術自体をとり除くことはできないため，発症後は薬物治療やケアが主な対応となります．一般に，術後せん妄は1週間もすればおさまりますが，長引いている場合は以下の2通りの可能性があります．ぜひ詳しく調べるようにしましょう．

> ① 手術以外に新たな直接因子が加わった可能性
> 　（例えば誤嚥性肺炎や薬剤など）
> ② 促進因子のコントロールが不十分な可能性
> 　（例えば疼痛や便秘など）

Q5 急にせん妄を発症したケースについて

抗がん剤の治療を行っている患者さんで，特に身体的には変わらず順調に経過していたにもかかわらず，ある日突然せん妄を発症しました．どのように考えればよいのでしょうか？

本当に，身体的に変わっていないのでしょうか？

実臨床では，患者さんがせん妄を発症したことで，はじめて直接因子（身体疾患）の存在に気づくことがあります．つまり，せん妄が見かけ上先行するということです．したがって，せん妄を発症した際にはあらためて十分精査を行い，新たな直接因子を特定することが大切です（図5）．

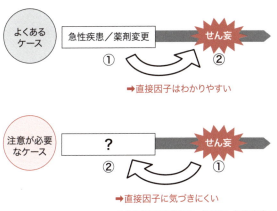

図5 せん妄の発症と直接因子の関係

文献2より改変して転載

基礎編

Q6 「ICUせん妄」について

「ICUせん妄」という言葉がありますが，ICUがせん妄を引き起こすということでしょうか？

「ICUせん妄」という言葉は，じつは大きな誤解を招く表現で，あたかもICUという特殊な環境がせん妄を直接引き起こしたかのような印象を与えます．ICUは直接因子ではなく，あくまでも促進因子であり，せん妄を誘発しやすく，悪化や遷延化につながるものです．「ICUせん妄」の直接因子は，例えば手術後にICUへ入室したのであれば手術ですし，身体的な急変に伴うICU入室であればその身体疾患になります．

Q7 せん妄の発症と退院について

せん妄を発症した患者さんについて，カンファレンスでは早めに退院させたほうがよいのではないかという意見が出ています．どうすればよいのでしょうか？

確かに，病院よりも慣れた自宅の方が，促進因子自体は確実に減ります．ただし，退院が適切なのは，せん妄の直接因子が軽快している場合です．例えば，低Na血症によるせん妄の場合，Na値が全く補正されていないにもかかわらず自宅退院となっても，せん妄がよくなるはずはありません．

術後せん妄については，直接因子である「手術」に対する介入はできません．したがって，身体的な状況が許せば，なるべく早く促進因子の少ない自宅への退院が望ましいと考えられます．

Q8 精神的なストレスとせん妄について

入院直後から不安を訴えることが多かった患者さんが，せん妄を発症してしまいました．精神的なストレスが原因でせん妄になることはあるのでしょうか？

　精神的なストレスがせん妄の促進因子になることはあっても，決して直接因子になることはありません．必ず何らかの直接因子が隠れているはずなので，身体疾患や薬剤などについて，十分調べるようにしましょう．すでに述べたように，せん妄は意識障害です．通常，精神的なストレスが原因で意識障害を起こすことはありません．

Q9 不眠とせん妄について

入院したら眠れなくなる患者さんは多いと思うのですが，不眠とせん妄の関係について教えてください．

　せん妄ハイリスクの患者さんが不眠をきたした際，そのままにしておくとそれが促進因子となり，せん妄が起こりやすくなってしまいます．すなわち，薪の上に「油」がまかれた状態となるため，「ライター」が近づくことによって着火しやすくなるのです．したがって，せん妄を予防するためには，「油」を確実に回収すること，つまり不眠に対して積極的にアプローチをすることが大切です．ただし，その際に睡眠薬としてベンゾジアゼピン受容体作動薬を用いると，逆にそれが直接因子となって薬剤性のせん妄につながるため，十分注意が必要です（図6）．

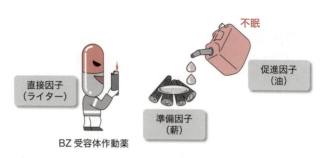

図6 ベンゾジアゼピン受容体作動薬による薬剤性せん妄

Q10 痛みとせん妄について

がん患者さんが大声を上げており，痛みが強そうなのでオピオイドを増やしたのですが，さらに落ち着きがなくなりました．オピオイドの量が足りないのでしょうか？

がん患者さんでは，興奮や落ち着きのなさが痛みの影響なのか，それともせん妄の症状なのかがわかりにくいことがあります．実臨床では，表情やしぐさ，バイタルサイン，訴えの持続性・再現性などから総合的に判断することになります（p185参照）．また，例えば「痛みが強くて興奮しているのではないか」と考えてオピオイドを増やし，結果的に興奮が落ち着けばその判断は正しかったと考えられます．逆に，興奮が強くなってしまった場合は，「じつは痛かったのではなくせん妄による興奮であって，オピオイドの増量によってせん妄がさらに悪化してしまった」という可能性があります．その場合，オピオイドの減量やスイッチングとともに，抗精神病薬の使用を検討するのがよいでしょう．

⑤ せん妄対策は「リスクの引き算」と考える

せん妄の予防や治療では，直接因子と促進因子を減らすこと・加えないことが大切です．図7のように，せん妄の患者さんは，「準

備因子」「直接因子」「促進因子」という，いわば3つの大きな荷物を背負っていると考えられます．実臨床では，**これらの3つが足し算され，発症閾値を超えることでせん妄を発症する**のです．

そこで，準備因子をもつせん妄ハイリスクの患者さんについては，直接因子と促進因子をできるだけ「減らすこと」「加えないこと」がせん妄の予防につながります．また，せん妄を発症した場合も，直接因子と促進因子を「減らすこと」「加えないこと」がせん妄を治すために必要です．すなわち，**せん妄対策とは，シンプルに「リスクの引き算」**といえるのです．

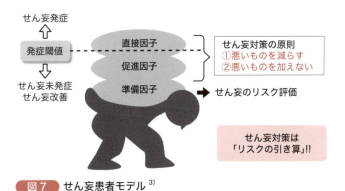

図7　せん妄患者モデル[3]

「せん妄診療実践マニュアル」(井上真一郎/著), p20, 羊土社, 2019　より改変して転載

参考文献

1) 「Delirium : Acute Confusional States」(Lipowski ZJ), Oxford University Press, 1990
2) 「勝手にせん妄検定 厳選問題50」(井上真一郎/著), 中外医学社, 2022
3) 井上真一郎：がん患者のマネジメント－最新知見も含めて．医薬ジャーナル, 52：2695-2699, 2016

Column

＊せん妄のデメリットとは

　患者さんがせん妄を発症した際，医療者はあらゆる手段を尽くして事態の収拾を図ります．ただし，せん妄を発症する患者さんはとても多く，日夜現場対応に追われるあまり，「なぜせん妄に対する介入が必要なのか」については普段ほとんど意識されません．

　せん妄へのアプローチが必要な理由は，端的にいえば，「せん妄によって多くのデメリットが生じるから」です．例えば，せん妄を放置してしまうと本来の治療の妨げになるだけでなく，転倒・転落や認知機能の低下，家族または医療者の心身疲弊，医療費の増大のほか，場合によっては医療訴訟などを引き起こします．

　せん妄がもたらす種々のデメリットについて，患者さん，ご家族，そして医療者の各視点から表にまとめてみました．ぜひ参考にしてください．

表　せん妄によるデメリット

患者	危険行動による事故・自殺 治療選択に関する意思決定能力の低下 予後の悪化 予定されていた治療の中断・中止 不快な体験
家族	心身疲弊
医療者	症状評価の困難さ 心身疲弊 暴力被害 医療費の増大 医療訴訟

　ここでは，意外と見逃されがちな「医療費の増大」について，少し説明をしておきます．せん妄の発症は，いうまでもなく医療費の面でも大きなデメリットがあり，二次合併症の併発などによる入院の長期化はコストの増大を招きま

す．また，せん妄を発症したら単に医療費が高くなるというだけでなく，その重症度に応じて医療費は有意に増大することが示されており，心血管疾患や糖尿病関連のコストに匹敵するとの報告もあるようです[1]．一方，せん妄に対して非薬物的介入を複合的に行うことで，せん妄の減少のみならず大幅な医療費の削減につながり，特にせん妄のリスクが中等度の患者さんにおいて費用対効果が高いとされています[2]．

このように，せん妄による医療費の増大は大きな問題ではあるものの，実際にはあまり注目されておらず，医療費の文脈でせん妄対策がクローズアップされることは少ないようです．ここで示したデータを，病院全体でせん妄対策に取り組む契機にしていただきたいと思います．

参考文献

1) Gou RY, et al：One-Year Medicare Costs Associated With Delirium in Older Patients Undergoing Major Elective Surgery. JAMA Surg, 156：430-442, 2021
2) Rizzo JA, et al：Multicomponent targeted intervention to prevent delirium in hospitalized older patients: what is the economic value? Med Care, 39：740-752, 2001

実践編

「せん妄ハイリスク患者ケア加算」に沿った,
具体的な介入について
解説していきます.

実践編

1章 せん妄に対する予防的介入

　実践編のテーマは，せん妄に対する介入です．まず1章では，2020年に新設された「**せん妄ハイリスク患者ケア加算**」(p263)の流れに沿って，予防的な介入内容について具体的に解説します（図1，STEP 4にあたる部分は**2章**で解説します）．

　患者さんが入院した際（もしくは入院が決まった外来時でもOK），まずはせん妄のリスク因子を確認します（STEP 1）．そして，1つでも該当する項目があれば「せん妄ハイリスク」と考えられるため，せん妄の予防対策を行います（STEP 2）．そのうえで，せん妄の早期発見に努めることになります（STEP 3）．

入院前または入院後3日以内（一次予防）

STEP 1　リスク因子の確認（準備因子の特定）

□ 70歳以上	・カルテなどで確認
□ 脳器質的障害	・脳梗塞，脳出血，脳腫瘍，頭部外傷の既往を確認
□ 認知症	・認知症診断名や抗認知症薬内服の有無を確認 ・ツールを用いた評価 　（例：OLD など）
□ アルコール多飲	・ツールを用いた評価 　（例：AUDIT-C など）
□ せん妄の既往	・過去に入院歴・手術歴がある場合は家族に確認
□ リスクとなる薬剤（特にベンゾジアゼピン受容体作動薬）の使用	・持参薬，お薬手帳，紹介状などで確認
□ 全身麻酔を要する手術後またはその予定があること	・カルテなどで確認

↓ 1つでも当てはまる場合

STEP 2　せん妄の予防対策（直接因子や促進因子の除去）

- 患者および家族への説明（パンフレットや動画）
- 不眠時・不穏時指示
- せん妄ハイリスク薬（BZ受容体作動薬）の減量・中止・変更／使用回避
- せん妄予防ケアの立案・実施（環境調整やコミュニケーションの工夫など）

↓

入院中（二次予防）

STEP 3　せん妄の早期発見

- ツールを用いた評価
（病棟とICUで別ツールを使用）
- 臨床的評価（見当識障害／注意障害）
- 他疾患との鑑別（認知症／うつ病／アカシジア／レストレスレッグス症候群）

●評価のタイミング
- 術後3日以内は集中的に
- 急性疾患では入院時から定期的に
- 「何かおかしい」「いつもと違う」と感じた時
- 状態変化時や薬剤変更時

↓せん妄あり

STEP 4　せん妄の治療（直接因子や促進因子の除去，薬物療法）

- 原因療法（原疾患の精査・治療，原因薬剤の中止）
- 薬物療法（主に抗精神病薬）
- 非薬物療法（環境調整やコミュニケーションの工夫など）

　図1　「せん妄ハイリスク患者ケア加算」の流れに沿った予防的介入

実践編　1章 ● せん妄に対する予防的介入

実践編

STEP 1 せん妄のリスク因子の有無を確認する

入院前または入院後3日以内（一次予防）

STEP 1 リスク因子の確認

- ☐ 70歳以上
- ☐ 脳器質的障害
- ☐ 認知症
- ☐ アルコール多飲
- ☐ せん妄の既往
- ☐ リスクとなる薬剤（特にBZ受容体作動薬）の使用
- ☐ 全身麻酔を要する手術後またはその予定があること

STEP 2 せん妄の予防対策

- 患者および家族への説明
- 不眠時・不穏時指示
- せん妄ハイリスク薬（BZ受容体作動薬）の減量・中止・変更／使用回避
- せん妄予防ケアの立案・実施

入院中（二次予防）

STEP 3 せん妄の早期発見

- ツールを用いた評価
- 臨床的評価
- 他疾患との鑑別（認知症／うつ病／アカシジア／RLS）

STEP 4 せん妄の治療

- 原因療法
- 薬物療法
- 非薬物療法

図2 STEP 1 リスク因子の確認

せん妄対策は，**予防が最も重要**です．とはいえ，すべての患者さんが同じようにせん妄を発症しやすいわけではありません．

　せん妄の予防を効率的に行うためには，「準備因子」がポイントです（p14 参照）．**準備因子とは，脳の脆弱性を示すもの**であるため，準備因子を有する患者さんではせん妄が起こりやすくなります．したがって，準備因子を用いてせん妄のリスク評価をすることで，予防対策を行うべき患者さんを絞り込むことができます．

　実臨床では，患者さんが入院した際（もしくは入院が決まった外来時でも OK），準備因子（表1）を指標として，せん妄のリスクを評価します．そして，**準備因子を有する場合はせん妄ハイリスク**と考えられるため，重点的に予防対策を行います．

表1　せん妄の準備因子

① 高齢（70 歳以上）
② 脳器質的障害（脳梗塞，脳出血，脳腫瘍，頭部外傷など）
③ 認知症
④ アルコール多飲
⑤ せん妄の既往
⑥ リスクとなる薬剤（特にベンゾジアゼピン受容体作動薬）の使用
⑦ 全身麻酔を要する手術後またはその予定があること

　このように，準備因子という概念は，せん妄対策の第一歩とも言うべき，きわめて重要なものです．準備因子自体をとり除くことは難しいのですが，①せん妄ハイリスク患者を特定できること，に加えて，②せん妄の予防において対応の工夫に活かすことができます．

　したがって，**せん妄対策にかかわるすべての医療者は，準備因子を必ず覚えておくようにしましょう**．

　では，準備因子の各項目について，順に詳しく解説します．

① 高齢(70歳以上)

　高齢は，代表的な準備因子の1つです．「せん妄ハイリスク患者ケア加算」では，70歳以上が目安となっています．

　ただし，近年になって入院患者さんの高齢化が進んでおり，「準備因子を1つでも有する患者さん」をせん妄対策の対象にすると，病院や病棟によっては高齢というだけでほぼすべての患者さんが該当することになります．加算を算定するのであればやむを得ませんが，もしそうでない場合，どの範囲までをせん妄ハイリスクとするかについては，病院や病棟ごとの実情(患者層，人的資源，せん妄発症率など)にあわせて決めるのも1つの方法です．

　ちなみに，かつて岡山大学病院では，準備因子のうち「高齢」にのみ該当する患者さんは，せん妄予防対策の対象から外すことにしていました．

② 脳器質的障害
　(脳梗塞，脳出血，脳腫瘍，頭部外傷など)

　せん妄は脳の機能不全であるため，**脳が脆弱な患者さんはせん妄を発症しやすい**と考えられます．高齢になると脳は老化しますし，認知症では脳の神経変性や血管障害などが起こっているため，それぞれ準備因子と考えられます．また，脳梗塞，脳出血，脳腫瘍(脳転移を含む)，頭部外傷などは，脳の直接的な障害であり，これらの脳器質的障害も準備因子の1つです．

　なお，頭部外傷は痙攣の閾値を下げるため，てんかんのリスクを考慮して，高用量の抗精神病薬はなるべく使用しないほうがよいと考えられます(さらに痙攣閾値が下がるため)．

　平成31年，全薬剤の添付文書が見直され，これまで「原則禁忌」とされていた項目は，「禁忌」または「特定の背景を有する患者に関する注意」のいずれかに移行されました．クロルプロマジンとレボメプロマジンは，これまで皮質下部の脳障害(脳炎，脳腫瘍，頭部外傷後遺症など)の疑いがある患者さんへの投与が「原則禁

忌」とされていましたが，この見直しによって「特定の背景を有する患者に関する注意」となっています．

③ 認知症

認知症は，特にせん妄の発症リスクが高い準備因子です．ただし，認知症の有無を把握することは，決して容易ではありません．

認知症の患者さんは，物忘れの自覚が乏しく，自ら病院を受診することはほとんどありません．したがって，認知症があったとしてもその診断がついていない場合が多いため，「認知症の診断がついているかどうか」または「抗認知症薬を飲んでいるかどうか」だけで認知症の有無を判断すると，多くの「隠れ認知症」がその網をすり抜けてしまうのです（図3）．

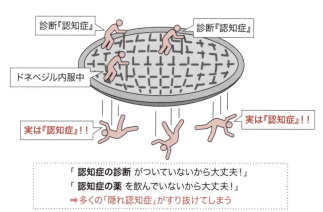

図3 見逃しやすい「隠れ認知症」

また，認知症のなかで最も多い「アルツハイマー型認知症」の患者さんは，診察場面などでは社会性が十分保たれています．したがって，入院時の説明にもニコニコと愛想よくうなずくなど，一見するとこちらの言うことを「理解している」ように見えるため，見逃しにつながると考えられます．

認知症の有無を確実に把握するためには，評価ツールの使用をオススメします．ただし，例えば医療者が毎回「改訂長谷川式簡易知能評価スケール（HDS-R）」などで評価を行うのは，かなりの時間と労力が必要となり，決して現実的ではありません．そこで，ご家族に評価用紙をお渡ししてつけてもらうのが有用です．そうすることで，医療者の負担が減るだけでなく，より適切な評価が可能となります．

医療者にとって，初対面の患者さんに認知症があるかどうかはなかなかわからないものです．認知症の専門家が，認知症の診断において最も重視しているのは，本人からの話やHDS-Rの点数よりも，じつはご家族からの話です．認知症は，「一度正常に達した認知機能が，後天的な脳の障害によって持続的に低下し，日常生活や社会生活に支障をきたすようになった状態」と定義されます．すなわち，「これまでできていたことができなくなっていないか」など，ふだんの生活についての情報が必須です．その点からも，ご家族に評価をお願いするのは，とても理にかなっていると考えられます．ただし，同居していない場合や患者さんにあまり関心がないご家族では，正確な情報が得られないことがあるため十分注意が必要です．

岡山大学病院では，入院患者さんすべてに，「**初期認知症徴候観察リスト（OLD）**」（表2）という評価ツールを実施しています．入院が決まった外来の時点で，「入院のしおり」と一緒にOLDの用紙をお渡しし，入院までに家でご家族に記載していただくようお伝えしています．そして，入院時に看護師はご家族からOLDの用紙を受けとり，各項目の内容をチェックしたうえで，4点以上で「認知機能低下あり」と評価しカルテに記載しています．OLDは，患者さんとの面談の様子からもある程度評価できるため，ご家族がいない患者さんの場合でも有用です．

なお，**このOLDは単に点数だけ着目するのではなく，どの項目で問題が生じているのかを把握し，それをケアに活かすことが**

表2 初期認知症徴候観察リスト(OLD)

1	**いつも日にちを忘れている** —今日が何月何日かわからないなど	はい	いいえ
2	**時間の観念がない** —時間(午前か午後さえも)がわからないなど	はい	いいえ
3	**少し前のことをしばしば忘れる** —朝食を食べたことを忘れているなど	はい	いいえ
4	**最近聞いた話を繰り返すことができない** —昨日,伝えたことなどを思い出せない	はい	いいえ
5	**同じことを言うことがしばしばある** — 1日のうちでも,同じ話や質問を繰り返しする	はい	いいえ
6	**いつも同じ話を繰り返す** —誰かに会うと,いつも同じ話(昔話など)を繰り返しする	はい	いいえ
7	**特定の単語や言葉が出てこないことがしばしばある** —普段使い慣れた言葉が出てこないなど	はい	いいえ
8	**本人の答えから,質問を理解していないことがうかがえる** —質問に対する答えが的外れで,かみあわないなど	はい	いいえ
9	**話の脈絡をすぐに失う** —話があちこち飛ぶ	はい	いいえ
10	**本人の会話をこちらが理解することがかなり困難** —本人の話している内容が分かりにくいなど	はい	いいえ
11	**話のつじつまを合わせようとする** —答えの間違いを指摘され,言い繕おうとする	はい	いいえ
12	**家族に依存する様子がある** —本人に質問すると,家族の方を向くなど	はい	いいえ

重要です(図4).例えば,見当識障害がみられる場合は,カレンダーや時計の設置を積極的に行います.また,記憶障害があれば,内服薬の管理を看護師の方で行うことで,飲み忘れを防ぐことができます.

実践編

見当識	1	いつも日にちを忘れている —今日が何月何日かわからないなど	(はい)	いいえ
	2	時間の観念がない —時間（午前か午後さえも）がわからないなど	(はい)	いいえ
記憶	3	少し前のことをしばしば忘れる —朝食を食べたことを忘れているなど	(はい)	いいえ
	4	最近聞いた話を繰り返すことができない —昨日，伝えたことなどを思い出せない	はい	(いいえ)
	5	同じことを言うことがしばしばある — 1 日のうちでも，同じ話や質問を繰り返しする	はい	(いいえ)
	6	いつも同じ話を繰り返す —誰かに会うと，いつも同じ話（昔話など）を繰り返しする	はい	(いいえ)
言語	7	特定の単語や言葉が出てこないことがしばしばある —普段使い慣れた言葉が出てこないなど	はい	(いいえ)
理解力 注意力 実行機能	8	本人の答えから，質問を理解していないことがうかがえる —質問に対する答えが的外れで，かみあわないなど	はい	(いいえ)
	9	話の脈絡をすぐに失う —話があちこち飛ぶ	はい	(いいえ)
	10	本人の会話をこちらが理解することがかなり困難 —本人の話している内容が分かりにくいなど	はい	(いいえ)
とり繕い	11	話のつじつまを合わせようとする —答えの間違いを指摘され，言い繕おうとする	はい	(いいえ)
	12	家族に依存する様子がある —本人に質問すると，家族の方を向くなど	はい	(いいえ)

"ハイリスク"の評価だけでなく，その項目内容をケアに活かす

図4 OLDの活用法

　また，OLD以外にご家族がつけやすい評価ツールとして，「**N式老年者用精神状態尺度（NMスケール）**」があります（図5）．NMスケールは，ふだんの生活の様子を知るご家族なら簡単に評価できるため，OLDと同じく有用ですが，医療者の場合は評価に工夫が必要です．

実践編 1章 ● せん妄に対する予防的介入

	5項目を用いた場合	3項目を用いた場合
正常	50〜48点	30〜28点
境界	47〜43点	27〜25点
軽度	42〜31点	24〜19点
中等度	30〜17点	18〜10点
重度	16〜0点	9〜0点

点数	家事・身辺整理	関心・意欲・交流	会話	記銘・記憶	見当識
0	・ほとんど不能 ・手の届く範囲の物は取れる	無関心、全く何もしない	呼びかけに無反応	不能	全くなし
1	・ごく簡単な家事・整理も不完全 ・おしぼりを渡せば顔を拭ける	・周囲に多少の関心あり ・ぼんやりと無為に過ごすことが多い	呼びかけに一応反応するが、自ら話すことはない	・新しいことは全く覚えられない ・古い記憶が稀にある ・名前が言える	・ほとんどなし ・人の弁別困難 ・男女の区別はできる
3	・ごく簡単な家事は指示されれば簡単なことをしようとする ・手ぬぐいや雑誌のグラビアなどを見る	自らは何もしないが指示されれば簡単なことをしようとする	ごく簡単な会話のみ可能 辻褄の合わないことが多い ありがとう、こちらさま、おはようなどが言える	・最近の記憶はほとんどない ・古い記憶が多少残存 ・生年月日が不確かで出生地を覚えている	失見当識著明 家族と他人は区別できるが誰であるかわからない 自分の年齢をかけ離れた歳で答える
5	・簡単な買い物も不確か、ごく簡単な家事・整理のみ ・声がけにてベッド周辺の整理ができる	・習慣的なことはある程度自発的にする ・気が向けば人に話しかける ・話しかけられれば話が弾む ・声がけにて行事に参加する	簡単な会話は可能であるが、辻褄が合わないことがある	・最近の出来事の記憶が困難 ・古い記憶の部分か欠落 ・生年月日正答	失見当識がかなりある（日時、年齢、場所などが不確か、道に迷う） ・看護師、医師、介護スタッフの見分けができる
7	・簡単な買い物は可能 留守番、複雑な家事、整理は困難 ・食器が洗える ・エレベーターの操作が1人で可能	・運動、家事、仕事、趣味など気を向けば行う ・必要なことは自ら話しかけ 	話し方は滑らかではないが、簡単な会話は通じる 相手の話が理解できる	・最近の出来事はよく忘れる ・古い記憶はほぼ正常 ・物などしまい忘れで頻繁に探す ・服薬の自己管理が難しい	ときどき場所を間違える 目的の場所へ行こうとするが迷うことがある
9	・やや不確実だが買い物、留守番、家事などを一応任せられる ・部屋の掃除、自分の衣類の整理ができる	・やや積極性の低下がみられるがほぼ正常 ・周囲の人と雑談ができる ・家族や同室者の行動を知っている	・日常会話はほぼ正常 ・複雑な会話がやや困難	・最近の出来事をときどき忘れる ・1人で受診できるが診察日を忘れることがある	ときどき日時を間違える
10	正常	正常	正常	正常	正常

図5 N式老年者用精神状態尺度 (NMスケール)

39

その他,高齢の患者さんで**入院時にご家族が同席している場合,認知症の可能性について必ず確認するようにしましょう**.ただし,ご家族へ単に「物忘れはありませんか?」と尋ねるのは,あまりオススメできません.たとえ物忘れがあっても,ご家族によっては「年のせい」と思っており,「そこまでひどくはありません」などと答えてしまいがちです.一般に,「認知症=物忘れ(記憶障害)」と考えられがちですが,実際には記憶障害のほかにも実行機能障害(例:料理の段取りが悪くなった)をはじめとしてさまざまな症状がみられるため,もう少し幅広く確認するのがよいでしょう.**医療者は,それらの症状が実際の生活場面でどのようなエピソードとなって現れるかについて,十分理解しておく必要があります.そして,具体例をあげながら尋ねることによってご家族はイメージがしやすくなり,認知症を疑うエピソードをうまく引き出すことが可能となります**(表3).

ただし,確認の際には患者さんがいないところで尋ねるなど,その心情に十分配慮しましょう.

表3 認知症の有無を確認する場合の家族への質問例

- 「同じものを何回も買ってきたりすることはありませんか?」
- 「知っている場所で道に迷うことはありませんか?」
- 「服装がだらしなくなったり,関心がなくなったりしていませんか?」
- 「料理の味付けがおかしいことはありませんか?」
- 「外出することが減ったり,家でぼんやりしていることが増えたりしていませんか?」
- 「財布が小銭でいっぱいになっていることはありませんか?」

次に,入院後に認知症に気づくためのポイントです.できるだけ早い段階で認知症に気づくことができれば,いち早くせん妄の予防を行うことが可能となります.なお,すでに述べたように,アルツハイマー型認知症の患者さんは社会性が保たれているた

め，その場をうまくとり繕うことがあります．したがって，診断がついていないからといって決して見逃すことのないよう，十分注意しておきましょう．

> **入院後に認知症に気づくポイント**
>
> - 薬を大量に持参している
> - 持参薬の残薬数が揃っていない
> - 治療や検査のスケジュールを理解していない
> - 部屋を間違える
> - 検査に行って，きちんと戻ってくることができない
> - 身だしなみがだらしない
> - 探しものが多い
> - 会話のなかに「あれ」「それ」といった代名詞が多い
> - 質問をすると，家族に助けを求めて振り返る（head turning sign とよばれる「とり繕い」の1つ）
> - 高血圧や糖尿病のコントロールが悪い（認知症によって内服が不規則になっている可能性）

④ アルコール多飲

　アルコール多飲がせん妄の準備因子であることは比較的よく知られています．ただし，実際に「どのくらいの飲酒量や飲酒頻度が準備因子になるのか？」という基準について，明確なエビデンスはありません．したがって，単に「アルコール多飲」という評価では，評価者によって基準がばらつく可能性があります．例えば，毎日ビール1,000 mL を飲む患者さんに対して，ふだんからお酒をよく飲む医療者と，全く飲めない下戸の医療者とでは，「アルコール多飲」かどうかの基準が異なるのは当然です．そこで，実臨床では，**一定の基準を決めておくのがよいでしょう**．

　精神科領域でよく用いられるアルコール使用障害のスクリーニングツールとして，「AUDIT（Alcohol Use Disorders Identification Test)」というものがあります.その簡易版である「**AUDIT-C**」は,AUDITの最初の3項目による評価のため,きわめて短時間で実施可能です(表4).

表4 AUDIT-C

	0点	1点	2点	3点	4点
あなたはアルコール含有飲料をどのくらいの頻度で飲みますか？	飲まない	月に1回以下	月に2～4回	週に2～3回	週に4回以上
飲酒するとき,通常どのくらいの量※を飲みますか？	1～2ドリンク	3～4ドリンク	5～6ドリンク	7～9ドリンク	10ドリンク以上
一度に6ドリンク※以上飲酒することがどのくらいの頻度でありますか？	ない	月に1回未満	月に1回	週に1回	ほぼ毎日

※・日本酒1合:2ドリンク ・チューハイ350 mL 1缶:2ドリンク
・ビール中瓶500 mL:2ドリンク ・焼酎(25度)0.5合:2ドリンク
・ウイスキー水割りダブル1杯:2ドリンク ・ワイングラス1杯:1.5ドリンク

文献1より引用

AUDIT-Cでは,男性は5点以上,女性は4点以上の場合,さらに「アルコール依存症」の診断基準に基づいて評価することが求められています[1].AUDIT-Cのメリットは,具体的な飲酒量や飲酒頻度などを数値化することによって,客観的に評価できる点です.これを参考に,病院や病棟ごとの実情にあわせてカットオフ値を決めるのが1つの方法です.

岡山大学病院では,OLDと同じように,入院が決まった外来の時点で,「入院のしおり」と一緒にAUDIT-Cの用紙をお渡しし,入院までに家で患者さんとご家族に記載していただくようお伝えしています(図6).そして,入院時に看護師はご家族からOLDとともにAUDIT-Cの用紙を受けとり,男女とも6点以上を「アルコール多飲」としてカルテに記載しています.

実践編 1章 ● せん妄に対する予防的介入

図6 当院で「入院のしおり」に同封される評価シート

また，**アルコール多飲はせん妄の準備因子というだけでなく，場合によってはアルコール離脱せん妄のハイリスクになりえます**（図7）．例えば，アルコール依存症の患者さんが入院し，急な断酒を余儀なくされた場合，アルコール離脱せん妄を発症する可能性があるのです．

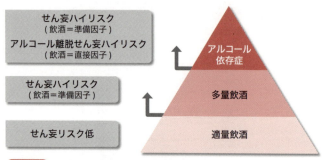

図7 飲酒のレベルとせん妄リスク

そこで，「アルコール多飲」と評価した患者さんについては，表5の各項目を十分確認する必要があります．もし，①または②に該当する場合，アルコール依存症としてアルコール離脱せん妄を発症することがほぼ確実と考えられるため，**予防的な薬物療法（ベンゾジアゼピン受容体作動薬）**を行います（アルコール離脱せん妄の対応については，通常のせん妄と予防的・治療的介入の内容が大きく異なるため，「応用編2章」で詳しく解説します）．また，①・②はないものの，③〜⑤のいずれかに該当し，アルコール依存症の可能性がある場合は，必ず**小離脱（自律神経症状，消化器症状，精神症状）が出現した場合の薬剤指示を出しておき**（p234参照），**可能であれば精神科へコンサルトするのがよいでしょう．**

表5 「アルコール多飲」と評価した場合の確認項目

1 アルコール依存症の診断がついているかどうか
- ➡ もし診断がついており，多量飲酒が続いている場合は，直ちに予防的な薬物療法を行う
- ➡ ただし，アルコール依存症でも診断をされていないケースは多い

2 離脱症状の既往があるかどうか
- ➡ 患者から聴取する場合，「お酒をやめたとき，手が震えたり，ひどく汗をかいたりしたことがありませんでしたか？」と，穏やかながらもやや断定的に尋ねることで，「そのようなことが起こりうることを私はよく知っている」というニュアンスで伝わり，正直に答えてもらいやすくなる
- ➡ 患者は過少申告する可能性があるため，**可能な限り家族からも聴取する**
- ➡ 過去に入院歴がある場合，その際に離脱症状があったかどうかを確認し（自院に入院歴があれば，診療録で確認），もしあった場合は，直ちに予防的な薬物療法を行う（逆に，過去の入院時に離脱症状は出ておらず，そのときから明らかに飲酒量が増えていないようであれば，リスクはきわめて少ない）

3 1日6ドリンク以上の連続飲酒があるかどうか
- ➡ 患者から聴取する場合，詰問するような口調で尋ねても，患者は自分の飲酒量や飲酒習慣に後ろめたさを感じているため，正確な把握が困難なことがある
- ➡ できるだけ穏やかな口調で尋ね，「正直に申告しても大丈夫そう（怒られなさそう）」と思ってもらえるように工夫する（図8）
- ➡ 患者は過少申告する可能性があるため，**可能な限り家族からも聴取する**
- ➡ 1日6ドリンク以上を連日飲んでいれば，アルコール離脱せん妄のハイリスクと考えられる（6ドリンク＝日本酒3合＝ビール中瓶3本＝焼酎1.5合＝ウイスキー水割りダブル3杯など）

4 アルコール関連疾患があるかどうか[1)]
- ➡ 以下の疾患があり，それが飲酒と強く関連している場合は，アルコール離脱せん妄のハイリスクと考えられる．
  - 脳（うつ病，不安障害，認知症，ウェルニッケ脳症）
  - 心臓（高血圧，不整脈）
  - 膵臓（糖尿病，膵炎，膵臓がん）
  - 肝臓（脂肪肝，肝炎，肝硬変，肝細胞がん）
  - 大腸（大腸がん（結腸がん，直腸がん））
  - 喉・食道（口腔がん，咽頭がん，食道がん）
  - その他（脂質異常症，高尿酸血症，末梢神経障害，乳がん）など

（次ページに続く）

> ➡ 患者は過少申告する可能性があるため，**検査データなどで客観的な評価を行う**
> ➡ 検査データでは，特に肝酵素やγ GTP 値などを確認する
> ➡ アルコール依存症の患者は，救急病棟（慢性膵炎の急性増悪，転倒による外傷，食道静脈瘤破裂など）や消化器病棟（肝硬変，食道がん），耳鼻科病棟（頭頸部がん）に入院することが多いため，それらの病棟スタッフは，特にアンテナの感度を高めておく必要がある
> ➡ 緊急入院の患者では身体治療が優先され，飲酒歴に関する聴取が不十分となりやすい
>
> 5 **飲酒による社会的な問題があるかどうか**
> ➡ 離婚，絶縁，解雇（免職），事故，借金など，飲酒による社会的な問題が明らかな場合は，アルコール離脱せん妄のハイリスクと考えられる

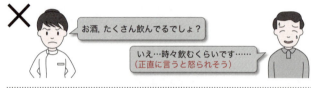

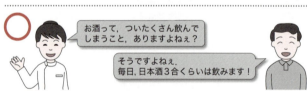

図8　飲酒に関する聴取の工夫

⑤ せん妄の既往

　せん妄の既往がある場合，せん妄の発症リスクがきわめて高いことが知られています．ただし，せん妄が「既往歴」としてカルテまたは紹介状に明記されていることはほとんどないため，実際には把握しにくい項目です．そこで，例えば肺炎で入院歴がある場合はその際にせん妄がなかったかどうか，あるいは大腿骨頸部骨折の既往があれば術後にせん妄が起こらなかったかどうかなどについて，積極的に確認してみることが大切です．ただし，患者さ

ん自身はせん妄になったことを覚えていない場合があるため，ご家族に尋ねるのがよいでしょう．**せん妄の既往を把握することで，効果的な予防対策につなげることができます**（表6）．

表6 せん妄の既往を把握するメリット

1. 「せん妄ハイリスク」として積極的な予防的介入を行うことができる
2. 前にせん妄を発症した際の治療薬やその用量がわかれば，今回せん妄を発症した場合の参考にすることができる

例）前にせん妄になったときは，クエチアピン 100 mg で落ち着き，副作用も特になかった
　→「今回もしせん妄になったら，リスペリドンではなく，クエチアピンを選択しよう．少なくとも，100 mg くらいまでは増量が必要かもしれないと心得ておこう．」

せん妄の既往を把握する際のプロセス

既往歴：大腿骨頸部骨折 → せん妄の既往を確認する

1）どのように確認するか？
　△カルテや紹介状を確認する　→把握が困難なことも多い
　△紹介元に問い合わせる　　　→ややハードルが高い
　△患者に尋ねる　　　　　　　→せん妄のことを覚えていない場合がある
　○家族に尋ねる　　　　　　　→覚えている場合が多い
　↓

2）家族にどのように尋ねるか？
　×「前に手術をした後，せん妄になりましたか？」
　　→ 必ずしも「せん妄」という言葉を知らない

　○「前に手術をした後，夜眠れなくなっただけでなく，日にちや場所がわからなくなったり，あるはずのないものが見えたり，夢と現実がわからなくなったりしたことはありませんでしたか？」
　　→ 平易な言葉で具体的に尋ねるのがよい

⑥ リスクとなる薬剤
　（特にベンゾジアゼピン受容体作動薬）の使用

　以前から内服中の薬剤であっても，肝・腎機能の悪化や加齢による代謝・排泄遅延，薬物相互作用などによって血中濃度が上がり，せん妄の直接因子になる可能性があります．また，「基礎編」でも述べたように，せん妄は数々のリスク因子が足し算され，一定の閾値を超えることで発症します．つまり，せん妄ハイリスク薬を内服している患者さんは，それによってせん妄の発症閾値に近づいているため，すでにせん妄が起こりやすい状態と考えられるのです．

　これまであげてきた準備因子（高齢，脳器質的障害，認知症，アルコール多飲，せん妄の既往）は，すべてその患者さん固有のもので，残念ながらとり除くことはできません．ただし，この⑥は他と異なり，引き算が可能です．「せん妄ハイリスク患者ケア加算」でも，STEP 1（リスク因子の確認）でリスク因子の1つにあげられているだけでなく，STEP 2（せん妄の予防対策）では，その漸減・中止が求められています．

　ここでは，せん妄ハイリスク薬とはどのような薬剤を指すかというだけでなく，特に**ベンゾジアゼピン受容体作動薬**について詳しく解説します．なお，実際の予防対策（漸減・中止）については，STEP 2で具体的に解説します．

●せん妄ハイリスクとなる薬剤

　まず，内服中の薬剤から確実にせん妄ハイリスク薬をピックアップするためには，入院時に内服薬を確認する際，そのような視点を意識することが大切です．なかでも，医師や薬剤師は薬剤について詳しいため，主体的なかかわりが求められます．また，**患者さんやご家族**に尋ねるだけでなく，抜け落ちがないように，必ず**持参薬**や**お薬手帳**，**診療情報提供書**なども確認しましょう．

　表7に，せん妄ハイリスク薬をリストアップしました．ただし，

表7 せん妄の直接因子(薬剤)
＊太字は，ACB や ARS で特に高リスクとされている抗コリン薬

種類		代表的な薬剤と商品名
抗コリン作用のある薬剤	抗コリン薬	・ビペリデン（アキネトン） ・**トリヘキシフェニジル（アーテン）** ・**アトロピン（アトロピン）** ・ブチルスコポラミン（ブスコパン）　など
	抗ヒスタミン薬 （H₂受容体拮抗薬含む）	・**ジフェンヒドラミン（レスタミン）** ・**クロルフェニラミン（ポララミン）** ・シプロヘプタジン（ペリアクチン） ・**ヒドロキシジン（アタラックス -P）** ・**プロメタジン（ピレチア／ヒベルナ）** ・シメチジン（タガメット） ・ファモチジン（ガスター） ・ラフチジン（プロテカジン）　など
	抗うつ薬 （特に三環系抗うつ薬）	・**アミトリプチリン（トリプタノール）** ・**イミプラミン（トフラニール）** ・**クロミプラミン（アナフラニール）** ・アモキサピン（アモキサン） ・パロキセチン（パキシル） ・ミルタザピン（リフレックス）　など
	抗精神病薬 （特にフェノチアジン 系抗精神病薬）	・**クロルプロマジン（コントミン／ウインタミン）** ・レボメプロマジン（ヒルナミン） ・**ペルフェナジン（ピーゼットシー）** ・**オランザピン（ジプレキサ）** ・**クロザピン（クロザリル）**　など
	頻尿治療薬	・**オキシブチニン（ポラキス）** ・プロピベリン（バップフォー）　など
ベンゾジアゼピン受容体作動薬		・トリアゾラム（ハルシオン） ・エチゾラム（デパス） ・ブロチゾラム（レンドルミン） ・フルニトラゼパム（サイレース） ・ゾルピデム（マイスリー） ・ゾピクロン（アモバン） ・ジアゼパム（セルシン／ホリゾン） ・アルプラゾラム（ソラナックス／コンスタン） など

（次ページに続く）

種類	代表的な薬剤と商品名
抗パーキンソン病薬	• レボドパ（メネシット／ドパストン） • カベルゴリン（カバサール） • プラミペキソール（ビ・シフロール） • ブロモクリプチン（パーロデル） • ペルゴリド（ペルマックス） • ロピニロール（レキップ） • アマンタジン（シンメトレル）　など
気分安定薬	• 炭酸リチウム（リーマス）
抗てんかん薬	• フェニトイン（アレビアチン） • カルバマゼピン（テグレトール） • バルプロ酸（デパケン） • ゾニサミド（エクセグラン）　など
循環器系薬 （降圧薬，抗不整脈薬など）	• ジゴキシン（ジゴキシン） • プロカインアミド（アミサリン） • ジソピラミド（リスモダン） • リドカイン（キシロカイン） • クロニジン（カタプレス） • プロプラノロール（インデラル）　など
鎮痛薬 （麻薬性および非麻薬性）	• ナプロキセン（ナイキサン） • トラマドール（トラマール／トラムセット），モルヒネ（オプソ／MSコンチン／モルペス／アンペック／モルヒネ），オキシコドン（オキシコンチン／オキノーム／オキファスト），フェンタニル（デュロテップMTパッチ／フェントステープ／ワンデュロパッチ／アブストラル／フェンタニル）　など
副腎皮質ステロイド	• プレドニゾロン（プレドニン） • デキサメタゾン（デカドロン） • ベタメタゾン（リンデロン）
気管支拡張薬	• テオフィリン（テオドール） • アミノフィリン（ネオフィリン）
免疫抑制薬	• メトトレキサート（メソトレキセート）　など
抗菌薬	• セフェピム（マキシピーム） • メトロニダゾール（フラジール／アネメトロ）　など
抗ウイルス薬	• アシクロビル　• インターフェロン
抗がん剤	• フルオロウラシル（5-FU）　など

これらをすべて覚えるのはあまりにもたいへんなので，どのような種類の薬剤がせん妄ハイリスク薬なのか，まずは左段だけでもざっと確認しておきましょう．そして「抗コリン薬」「抗ヒスタミン薬」「抗うつ薬」「・・・」などと覚えておき，内服薬をチェックする際にその種類の薬剤があるかアンテナを立て，もし含まれていれば表7や添付文書などで確認する，というプロセスが実践的です．もし余力がある場合は，代表的な薬剤（右段）についても覚えておきましょう．

なお，抗コリン作用の強さを点数化したものとしてACB (Anticholinergic Cognitive Burden) スケールやARS (Anticholinergic Risk Scale)があり，せん妄との関連において参考になります．

●ベンゾジアゼピン受容体作動薬

「せん妄ハイリスク患者ケア加算」では，数あるせん妄ハイリスク薬のなかでも，**特にベンゾジアゼピン受容体作動薬に注意する**ことが求められています．この理由として，ベンゾジアゼピン受容体作動薬はせん妄を起こすリスクが高いだけでなく，ベンゾジアゼピン受容体作動薬を内服している患者さんの数が，他のせん妄ハイリスク薬に比べて圧倒的に多いことがあげられます．

岡山大学病院では，せん妄ハイリスク薬のなかでも，特にベンゾジアゼピン受容体作動薬に絞った対策を行っています．病棟薬剤師が内服薬をチェックする際，ベンゾジアゼピン受容体作動薬の有無を確認し，その内容をカルテに記載することで医療者間で共有しています．

表8に，ベンゾジアゼピン受容体作動薬の種類や作用時間，一般名，代表的な商品名などをあげています．ただし，実際にはジェネリック医薬品が普及しており，あまり聞いたことがない薬剤でもベンゾジアゼピン受容体作動薬のことがあります．**特に，眠前薬や頓服薬についてはベンゾジアゼピン受容体作動薬の可能**

実践編

表8 ベンゾジアゼピン受容体作動薬

種類	作用時間	一般名	代表的な商品名
睡眠薬	短	トリアゾラム	ハルシオン
		ゾピクロン	アモバン
		ゾルピデム	マイスリー
		エスゾピクロン	ルネスタ
		ブロチゾラム	レンドルミン
		ロルメタゼパム	ロラメット,エバミール
		リルマザホン	リスミー
	中	フルニトラゼパム	サイレース
		エスタゾラム	ユーロジン
		ニトラゼパム	ベンザリン,ネルボン
	長	クアゼパム	ドラール
		フルラゼパム	ダルメート
		ハロキサゾラム	ソメリン
抗不安薬	短	クロチアゼパム	リーゼ
		エチゾラム	デパス
		トフィソパム	グランダキシン
		フルタゾラム	コレミナール
	中	ブロマゼパム	レキソタン
		ロラゼパム	ワイパックス
		アルプラゾラム	ソラナックス,コンスタン
	長	ジアゼパム	セルシン,ホリゾン
		クロキサゾラム	セパゾン
		クロナゼパム	リボトリール,ランドセン
		クロルジアゼポキシド	コントール,バランス
		オキサゾラム	セレナール
		フルジアゼパム	エリスパン
		メダゼパム	レスミット
		クロラゼプ	メンドン
		メキサゾラム	メレックス
		ロフラゼプ酸エチル	メイラックス
		フルトプラゼパム	レスタス

＊医療事故防止対策として,現在ジェネリック医薬品については,原則として一般名を用いるように変更されています.

性を考え，十分確認しておきましょう．

⑦ 全身麻酔を要する手術後またはその予定があること

　全身麻酔を要する手術を行う患者さんは，せん妄の発症リスクが高いと考えられます．正確に言えば，「術後せん妄ハイリスク」ということになります．

　ただし，全身麻酔を要する手術を行う患者さんすべてがせん妄ハイリスクかというと，大いに疑問が残ります．例えば，手首を骨折して全身麻酔で1時間程度の手術を受けた30歳の患者さんがせん妄を起こすとは思えませんし，逆に認知症と脳梗塞の既往がある80歳の患者さんが全身麻酔で食道がんの手術を受ける場合は術後せん妄「超」ハイリスクです．そこで，実際にはこの「全身麻酔」のみでせん妄のリスクを評価するのではなく，**手術侵襲（時間や出血量）や他の準備因子なども含めて，総合的に判断する**のが実践的です．

　なお，術後せん妄が懸念されるケースでは，大きく「予定手術」の場合と「緊急手術」の場合に分けられます．このうち，**予定手術では，手術前の時期に効果的な予防対策を行うことが可能です**．また，「術後に薬剤を内服できない期間があるか？」「その期間はどれくらいか？」「ICU入室予定はあるか？」「その期間はどのくらいか？」などの確認も必要です．詳しくは，「応用編1章」で解説します．

実践編

Column

＊ベンゾジアゼピン系薬剤と
非ベンゾジアゼピン系薬剤について

　本書で述べている「ベンゾジアゼピン受容体作動薬」は，「ベンゾジアゼピン系薬剤」と「非ベンゾジアゼピン系薬剤」の2種類に分けられます．

　「ベンゾジアゼピン系薬剤」は，例えばトリアゾラムやブロチゾラムなどの薬剤のことで，かなり前から使われてきました．それに対して「非ベンゾジアゼピン系薬剤」は，ゾルピデムやゾピクロン，エスゾピクロンといった比較的新しい薬剤のことを指し，Z-drugともよばれています．「非」ベンゾジアゼピン系薬剤という名称のため，「ベンゾジアゼピン系薬剤に比べて副作用が少なく，洗練された薬剤である」と考えている人がいるかもしれませんが，これは大きな間違いです．両者の違いは，化学構造式として「ベンゾジアゼピン骨格をもつかどうか」だけで，いずれもベンゾジアゼピン受容体という同じ受容体に作用するため，効果や副作用はほぼ同じと考えられます（表1）．つまり，「ベンゾジアゼピン系薬剤」と「非ベンゾジアゼピン系薬剤」の

表1　ベンゾ／非ベンゾの違い

	ベンゾジアゼピン受容体作動薬	
	ベンゾジアゼピン系薬剤	非ベンゾジアゼピン系薬剤
	トリアゾラム　エチゾラム ブロチゾラム　フルニトラゼパム	ゾルピデム ゾピクロン　エスゾピクロン
構造式	「ベンゾジアゼピン骨格」 を持つ	「ベンゾジアゼピン骨格」 を持たない
薬理作用	ベンゾジアゼピン受容体に作用する	
効果や 副作用	大きくは変わらない	

文献1より改変して転載

両者とも,同じようにせん妄を惹起するリスクが高いことを知っておきましょう.

ただし,非ベンゾジアゼピン系薬剤のゾルピデム,ゾピクロン,エスゾピクロンは,受容体のサブユニットへの親和性がそれぞれ異なります.サブユニットにはα1,α2,α3などがあり,α1は睡眠作用に関連する一方,健忘に影響することが指摘されています.また,α2やα3は睡眠作用のほか,抗不安作用にも関連しています.

表2のように,エスゾピクロンはゾルピデムやゾピクロンと異なり,α2やα3への親和性が高いため,抗不安作用が期待できます.逆に,α1に対する作用は比較的少ないため,健忘を引き起こしにくい可能性があるのです.実際,使用成績調査[2]において,高齢患者への投与でもせん妄の発症がきわめて少なかったことが報告されています.これらのことから,ベンゾジアゼピン受容体作動薬のなかでもエスゾピクロンは,「強い不安を伴うせん妄ハイリスクの患者さんの不眠」に対して用いられることがあります.

表2 非ベンゾジアゼピン系薬剤におけるサブユニットに対する親和性の違い[3]

薬剤名	サブユニットに対する親和性
ゾルピデム	α1≫α2, α3
ゾピクロン	α1>α2, α3
エスゾピクロン	α2, α3>α1

α1:鎮静,睡眠,前向性健忘,依存など　α2・α3:睡眠,抗不安など

参考文献
1)「勝手にせん妄検定 厳選問題50」(井上真一郎/著),中外医学社,2022
2) 内村直尚,他:エスゾピクロン(ルネスタ錠)使用成績調査 不眠症患者に対する安全性および有効性に関する調査(結果報告).睡眠医療,10:425-441,2016
3) Rudolph U & Knoflach F:Beyond classical benzodiazepines: novel therapeutic potential of GABAA receptor subtypes. Nat Rev Drug Discov, 10:685-697, 2011

実践編

STEP 2　せん妄の予防対策を行う

入院前または入院後3日以内（一次予防）

STEP 1　リスク因子の確認

- ☐ 70歳以上
- ☐ 脳器質的障害
- ☐ 認知症
- ☐ アルコール多飲
- ☐ せん妄の既往
- ☐ リスクとなる薬剤（特にBZ受容体作動薬）の使用
- ☐ 全身麻酔を要する手術後またはその予定があること

STEP 2　せん妄の予防対策

- 患者および家族への説明
- 不眠時・不穏時指示
- せん妄ハイリスク薬（BZ受容体作動薬）の減量・中止・変更／使用回避
- せん妄予防ケアの立案・実施

入院中（二次予防）

STEP 3　せん妄の早期発見

- ツールを用いた評価
- 臨床的評価
- 他疾患との鑑別（認知症／うつ病／アカシジア／RLS）

STEP 4　せん妄の治療

- 原因療法
- 薬物療法
- 非薬物療法

図9 STEP 2　せん妄の予防対策

① パンフレットや動画を用いて患者および家族にせん妄の説明を行う

入院前または入院後3日以内（一次予防）

STEP 1　リスク因子の確認

- ☐ 70歳以上
- ☐ 脳器質的障害
- ☐ 認知症
- ☐ アルコール多飲
- ☐ せん妄の既往
- ☐ リスクとなる薬剤（特にBZ受容体作動薬）の使用
- ☐ 全身麻酔を要する手術後またはその予定があること

STEP 2　せん妄の予防対策

- 患者および家族への説明
- 不眠時・不穏時指示
- せん妄ハイリスク薬の回避
- せん妄予防ケアの立案・実施

入院中（二次予防）

STEP 3　せん妄の早期発見

- ツールを用いた評価
- 臨床的評価
- 他疾患との鑑別

STEP 4　せん妄の治療

原因療法／薬物療法／非薬物療法

図10　STEP 2　せん妄の予防対策 - ①（簡易図）

STEP 2　せん妄の予防対策

- 患者および家族への説明
- 不眠時・不穏時指示
- せん妄ハイリスク薬の回避（BZ受容体作動薬）の減量・中止・変更／使用回避
- せん妄予防ケアの立案・実施

2　ハイリスク患者に対するせん妄対策

- ☐ 認知機能低下に対する介入（見当識の維持など）
- ☐ 脱水の治療・予防（適切な補液と水分摂取）
- ☐ リスクとなる薬剤（特にBZ系薬剤）の漸減・中止
- ☐ 早期離床の取組
- ☐ 疼痛管理の強化（痛みの客観的評価の併用など）
- ☐ 適切な睡眠管理（非薬物的な入眠の促進など）
- ☑ 本人および家族へのせん妄に関する情報提供

本書のフローチャート　　せん妄ハイリスク患者ケア加算チェックリスト

図11　本書のフローチャートと加算算定チェックリストの対応表1

STEP 1で，準備因子を用いて患者さんのせん妄リスクを評価し，せん妄ハイリスクと考えられる場合，まずは医師，看護師，薬剤師，公認心理師・臨床心理士，作業療法士，理学療法士などの多職種でそのことを共有します．共有することで，各職種の専門性を活かした，スムーズかつ切れ目のない介入が可能となります．

共有方法として，例えば該当する患者さんのカルテ内の決められたところに「せん妄ハイリスク」などと目立つように記載したり，病棟カンファレンスで周知したりといったものがあります．岡山大学病院では，せん妄ハイリスクの患者さんがICUに入室した場合，部屋の扉に「せん妄対策チーム」のロゴマークを貼ることで共有しています(図12，通常は黄色→発症したら赤色にする)．

図12 「せん妄対策チーム」ロゴマーク

また，医療者間だけでなく，**可能な限り患者さんやご家族とも「せん妄ハイリスク」であることを共有しておく必要があります**．患者さんやご家族はせん妄について知らない場合が多いため，せん妄について知ってもらうことは大きなメリットです．**せん妄を発症するケースが増えている今の時代，患者さんやご家族への説明はルーチンと考えるべきです**．

ただし，せん妄を発症してからあわてて説明しても，患者さんはせん妄のため意思の疎通がとれず，またご家族も動揺しているため十分な理解が得られないことがあります．そこで，**入院が決**

まった外来の時点や入院時など，なるべく早い段階でせん妄について説明し，適切な対応についてご家族と共有しておくことが大切です．ご家族の不安や気がかりに対して共感を示し，「ここまでよろしいでしょうか？」のような質問を挟んで理解度を確認するなど，わかりやすく丁寧に伝えるよう心がけましょう．

患者および家族が，あらかじめせん妄について知っておくメリット

■**患者のメリット**
- 「頭がぼんやりする」「変なものが見える」などの自覚症状があった際，「これが(聞いていた)せん妄かもしれない」と考えて早めに医療者に伝えることができ，早期発見・早期介入につながる
- ふだんどのような環境で生活しているのか，どのようなことを大切にしているのかなどをあらかじめ教えてもらうことで，それを環境調整やケアに活かすことができる

■**家族のメリット**
- 患者のふだんの様子との違いに気づきやすく，「これが(聞いていた)せん妄かもしれない」と考えて早めに医療者に伝えることができ，早期発見・早期介入につながる
- 患者がふだんどのような環境で生活しているのか，どのようなことを大切にしているのかなどを把握していることが多いため，それを環境調整やケアに活かすことができる
- 患者のそばにいること(面会や付き添い)の大切さを理解しておくことで，協力してもらいやすくなる
- 患者がせん妄になっても，あらかじめ知っておくことで，ひどく動揺せずにすむ
- 患者がせん妄になっても，適切に対応できるため，患者の安心感につながる(不適切な対応によるせん妄の悪化を防ぐことができる)
- 「こんな状態(せん妄)になるなんて，全然聞いていない！」といったクレームが入り，医療者との関係性が損なわれるのを防ぐことができる

なお，ご家族に付き添いをお願いする際には，付き添いによって患者さんが安心し，せん妄が起こりにくくなる可能性があるこ

とをお伝えするのがよいでしょう．ご家族に患者さんの監視役をお願いしたり，医療者が行うべき業務の一部を押しつけたりすることのないよう，十分注意が必要です．

せん妄ハイリスクの患者さんをめぐっては，ご家族もせん妄対策チームの一員と考えることが大切です．ただし，その一方で，付き添いや面会は決して無理のない範囲でお願いするようにし，**ご家族の心身面の疲弊にも気を配るようにしましょう**．

また，今後の見通しについて説明する際，医療者が例え「可逆性せん妄（原因が明確で，それを除去できれば回復するせん妄）」という認識をもっていたとしても，楽観的・断定的に「原因がなくなれば，せん妄は必ず治ります」と伝えるのは避けましょう．というのも，実臨床では原因がはっきりしないまま長引くせん妄も多く，また当初は可逆性せん妄だったとしても経過中にせん妄の原因が増えて不可逆性せん妄になることもあります．そこで，「多くの場合，原因をとり除くことができればせん妄は治る可能性があります．ただし，なかなか身体の状態がよくならないと長引いたり，完全に回復しなかったりすることもあります．もちろん，できるだけ治るように全力を尽くします」という説明がよいでしょう(表9)．

なお，せん妄について説明する際には，口頭だけでなくパンフレットがきわめて有用です．岡山大学病院では，せん妄ハイリスクのすべての患者さんとご家族に対して，パンフレットを用いた説明を行っています．**パンフレットを用いることによって，患者さんやご家族の理解が得られやすくなるだけでなく，説明する側の医療者にとっても大きなメリットがあります**(表10)．

岡山大学病院が作成したパンフレット(「せん妄の予防と対策について」)は，p268のURLから自由にダウンロードできます．まだパンフレットを使っていない方や，これからパンフレットを新しくするなどの場合，ぜひ自由にご活用ください(図13)．

表9 　患者および家族への説明内容

項目	説明内容
一般的な知識	「せん妄とは，身体の病気や手術，新しい薬が身体に合わないことなどが原因で，意識がぼんやりして混乱することです」
具体的な症状	「日にちや場所がわかりにくくなったり，あるはずのないものが見えたり，昼と夜が逆転したり，例えて言うと『強い寝ぼけ』のような状態になります」
原因に対する治療と可逆性/不可逆性	「多くの場合，原因をとり除くことができれば治る可能性があります．ただし，なかなか身体の状態がよくならないと長引いたり，完全に回復しなかったりすることもあります．もちろん，できるだけ治るように全力を尽くします」
薬物治療	「入院中は，夜しっかり眠って身体を休めることが大切なので，混乱して点滴を抜いたりすることがないように，神経を休める薬を使います」 「ただし，健康保険が適用されない薬※を使うことになるのですが，それを使わないと安静を保つのが難しくなるため，使用についてどうかご理解・ご了承ください．よろしいでしょうか？」→<u>可能な範囲で，同意をもらうのがよい</u> 「薬によっては，次の日に眠気が残ったり，唾液がうまく飲み込めず肺炎を起こしたりする可能性があるため，できるだけ身体に悪い影響がでないよう，慎重に調整します」
身体拘束について	「万一，せん妄が激しくなって，自分や他人を傷つけるようなおそれがあり，他にそれを避ける方法がない場合は，一時的に身体を固定することがあります．症状が落ち着いてくれば，すぐに自由に動けるよう，身体の固定は最小限にします」
環境調整	「朝から日光を取り込んで，なるべく部屋を明るくしてください．また，ふだん使っているメガネや補聴器があればそれをもってきていただき，正しく着用してください．その他，時計やカレンダーを見えやすい場所に置き，一緒に日にちや時間の確認をしてください．カレンダーは，過ぎた日には×印をつけるなどして，見たときに今日が何月何日かがわかるよう，工夫するのがよいと思います．その他，ふだんの生活のなかで，もし馴染みのものなどがあれば，ベッドサイドに置いておくと安心感につながると思います」
適切な対応（家族に説明）	「例えば，本人がつじつまの合わない話をしていたとしても，言っていることを否定せず，話を最後まで聴いたうえで，本人が安心できるような言葉をかけるようにしてください．間違いを真っ向から正そうとすることで，かえって本人を傷つけてしまうことがあります」 「付き添いや面会があると本人は安心するため，せん妄になりにくくなったり，せん妄がおさまりやすくなったりします．ただし，決してご無理のない範囲でお願いします」 「『こうすればいい』という，絶対的なものはありません．実際にやってみないとわからないことも多いので，ぜひわれわれにご相談いただき，一緒にすすめていきましょう」
質問	「何かご質問や，気になることがあれば，いつでもおっしゃってください」

※日本においてせん妄に対して健康保険が適用されるのは，チアプリド1剤のみです．

実践編

表10 パンフレットのメリット

患者・家族	絵や図表などがあることで,視覚的に理解しやすい
	手元に残るため,後から何度でも読み返すことができる
	他の家族に「せん妄」について伝える際に利用できる(伝言ゲームにならない)
医療者	順序立てて,流れよく説明することができる
	必要な情報を,漏れなく伝えることができる
	平易な言葉で説明することができる

図13
せん妄のパンフレット

岡山大学病院精神科リエゾンチームホームページよりダウンロード可

岡山大学病院せん妄対策チーム作成

その他,岡山大学病院では,「『せん妄』をご存じですか？〜その予防と対策〜」という動画(図14)を作成し,ベッドサイドのテレビで流しています(無料).パンフレットも有用ですが,動画は好きなときに見ることができるだけでなく,せん妄の患者さんの様子がリアルに把握できるため,患者さんやご家族に自分たちのこととして認識していただけます.これについても,YouTubeにアップしていますので,同じく自由にご活用ください.

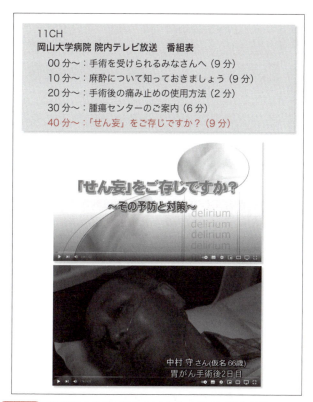

図14 動画「せん妄をご存知ですか？〜その予防と対策〜」

*患者さんは,精神科医が演じています.

実践編

② せん妄ハイリスクを考慮した不眠時・不穏時指示を出しておく

入院前または入院後3日以内（一次予防）

STEP 1　リスク因子の確認

- ☐ 70歳以上
- ☐ 脳器質的障害
- ☐ 認知症
- ☐ アルコール多飲
- ☐ せん妄の既往
- ☐ リスクとなる薬剤（特にBZ受容体作動薬）の使用
- ☐ 全身麻酔を要する手術後またはその予定があること

STEP 2　せん妄の予防対策

- 患者および家族への説明
- せん妄ハイリスク薬の回避
- 不眠時・不穏時指示
- せん妄予防ケアの立案・実施

入院中（二次予防）

STEP 3　せん妄の早期発見

- ツールを用いた評価　・臨床的評価　・他疾患との鑑別

STEP 4　せん妄の治療

原因療法／薬物療法／非薬物療法

図15　STEP 2　せん妄の予防対策-②（簡易図）

STEP 2　せん妄の予防対策

- 患者および家族への説明
- 不眠時・不穏時指示
- せん妄ハイリスク薬の回避（BZ受容体作動薬）の減量・中止・変更／使用回避
- せん妄予防ケアの立案・実施

本書のフローチャート

2　ハイリスク患者に対するせん妄対策

- ☐ 認知機能低下に対する介入（見当識の維持など）
- ☐ 脱水の治療・予防（適切な補液と水分摂取）
- ☐ リスクとなる薬剤（特にBZ系薬剤）の漸減・中止
- ☐ 早期離床の取組
- ☐ 疼痛管理の強化（痛みの客観的評価の併用など）
- ☑ 適切な睡眠管理（非薬物的な入眠の促進など）
- ☐ 本人および家族へのせん妄に関する情報提供

せん妄ハイリスク患者ケア加算チェックリスト

図16　本書のフローチャートと加算算定チェックリストの対応表2

せん妄ハイリスクの患者さんに対して，入院時に必ず行うべきことの1つは，不眠時・不穏時指示を出しておくことです．その際，「せん妄ハイリスク」を考慮した薬剤選択が必要です．

　すでに述べたように，せん妄対策とは「リスクの引き算」です．せん妄ハイリスクを考慮した不眠時・不穏時指示を出しておくことで，せん妄ハイリスク薬であるベンゾジアゼピン受容体作動薬の使用回避につながります（＝直接因子を加えない）．また，あらかじめ指示があると薬剤をすみやかに投与することができるため，せん妄を誘発する不眠の改善につながるのです（＝促進因子を減らす）．したがって，不眠時・不穏時指示を出しておくことは，せん妄を予防するうえで，重要なポイントと言えるでしょう．

●不眠時・不穏時指示の見直し

　入院中は，身体的要因（倦怠感，痛み，呼吸困難など）や心理的要因（病気や治療，検査結果への不安など），環境変化（病室，枕，音など）が重なるため，ほとんどの患者さんが不眠をきたします．せん妄ハイリスクの患者さんにとって，不眠はせん妄の促進因子になるため，そのマネジメントはきわめて重要です．ただし，せん妄ハイリスクの患者さんに対して**安易にベンゾジアゼピン受容体作動薬を投与すると，それが直接因子となって薬剤性せん妄を発症してしまうのです**．

　病棟内の約束指示が，「不眠時指示：○○（ベンゾジアゼピン受容体作動薬）」となっていませんか？　パスは大丈夫でしょうか？　また，病棟常備薬の不眠に使用する薬剤のなかに，ベンゾジアゼピン受容体作動薬以外の薬剤が確実に入っているでしょうか？　**これらの見直しは，すぐに効果が現われるという意味でも，きわめて重要なせん妄予防対策です**．ぜひ，今すぐ確認しましょう．

●「マイレシピ」の見直し

医師によっては,いわゆる「マイレシピ」のように,不眠に対する処方薬がワンパターンになっていることがあります.不眠を訴える患者さんは多いため,これまで医師は自分が使い慣れた薬剤〔ゾルピデム(マイスリー)やブロチゾラム(レンドルミン)など〕を処方し続ける傾向にありました.しかし,近年になって入院患者さんは高齢化し,認知症の人も増えるなど,せん妄ハイリスクの患者さんが大多数を占めるようになっています.また,せん妄を惹起するリスクがないだけでなく,予防効果さえも期待できる睡眠薬(**メラトニン受容体作動薬,オレキシン受容体拮抗薬**)が使える時代です(図17).医師は,今まさに不眠に対する「マイレシピ」を見直し,積極的に変えていく必要があるのです.

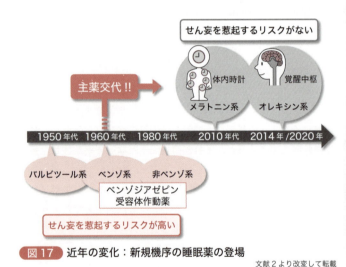

図17 近年の変化:新規機序の睡眠薬の登場

文献2より改変して転載

●標準指示を決める

このように,睡眠薬の選択を変えるためには,指示を出し,処方する側である医師の意識を変えていくことが重要です.例えば,

院内の勉強会や研修会などで，ベンゾジアゼピン受容体作動薬のせん妄発症リスクについてとり上げることも有用です．なかでも，最も効果的なのは，**病院全体または病棟単位で，せん妄ハイリスクの患者さんに対する不眠時／不穏時指示を統一してしまうこと**です．ベンゾジアゼピン受容体作動薬による薬剤性せん妄は，「ベンゾジアゼピン受容体作動薬を処方しない」だけでよいため，その効果は確実に現われます．ただし，多くの病院ではいまだにその取り組みが不十分です．

前述のように，2020年の診療報酬改定で，新たに「せん妄ハイリスク患者ケア加算」が創設されました．この加算を大きなチャンスと考え，組織全体で不眠時・不穏時指示を見直し，標準化を行うきっかけにするのがよいでしょう．

ベンゾジアゼピン受容体作動薬による薬剤性せん妄を避けるための対策

- 病院全体または病棟単位で，不眠時・不穏時指示を統一する（標準指示を決める）
  ➡最もオススメ！！
- 病棟常備薬を見直し，不眠に使用する薬剤として，ベンゾジアゼピン受容体作動薬以外の薬剤を入れるようにする（または，病棟常備薬からベンゾジアゼピン受容体作動薬を外す）
- パスの不眠時指示を見直す
- 不眠に対する薬剤選択について，病棟薬剤師が医師に対して積極的にアドバイスを行う
- 院内の勉強会や研修会で，ベンゾジアゼピン受容体作動薬のせん妄発症リスクについて取り上げる

岡山大学病院では，図18を院内の標準指示としています（2022年9月〜）．この標準指示は，電子カルテのトップ画面から見ることができるほか，医療者全員が必携の「医療安全ポケットマニュアル」のなかにも記載しています．主治医はこれをもとに，身体

実践編

不眠時

① デエビゴ 5 mg
　30 分あけて計 2 回まで OK

> 2.5 〜 10 mg / 日
> 不眠症への保険適用があり，翌朝への持ち越しも少ない

＊重度肝障害に禁忌・併用薬（CYP3A 阻害薬）注意
または
② トラゾドン 25 mg
　30 分あけて計 3 回まで OK

> 25 〜 150 mg / 日
> 適度な鎮静効果があり，翌朝への持ち越しも少ない

不穏時

［糖尿病なし］
クエチアピン 25 mg
　30 分あけて計 3 回まで OK

> 25 〜 150 mg / 日
> 強力な鎮静効果があり，翌朝への持ち越しも少ない

＊糖尿病には禁忌のため，投与前に診断の有無を必ず確認

［糖尿病あり・透析なし］
リスパダール液 0.5 mL
　30 分あけて計 3 回まで OK

> 0.5 〜 3 mg / 日
> 幻覚妄想への効果は強いが，鎮静効果はやや弱い
> 腎機能が悪い場合，効果が遷延することがある

［糖尿病あり・透析あり］
ルーラン 4 mg
30 分あけて計 3 回まで OK

> 4 〜 28 mg / 日
> 幻覚妄想への効果は強いが，鎮静効果は弱い
> 翌朝への持ち越しは少ない

内服不可時（不眠時・不穏時）

セレネース 1/4 A ＋生食 20 mL iv
　30 分あけて計 3 回まで OK

> 1/4 〜 3 A / 日
> 幻覚妄想への効果は強いが，鎮静効果はやや弱い
> パーキンソニズムに注意

＊パーキンソン病，レビー小体型認知症，重症心不全には禁忌のため，投与前に診断の有無を必ず確認

➡セレネースが使用できない場合は精神科リエゾンチームへコンサルト下さい

注 1) 効果が乏しい場合は最大回数までご使用いただき，連日頓服を使用している場はその頓服薬を定時薬に追加して下さい（その際，頓服指示は同じで OK です）．
注 2) トラゾドン・クエチアピン・リスパダール・ルーラン・セレネースは，いずれもせん妄に対して保険適用外となるため，ご注意ください．

参考）せん妄の臨床指針（日本総合病院精神医学会）など

図 18 不眠時・不穏時の標準指示例（岡山大学病院）

文献 2 より改変して転載

状況や合併症など患者さんの個別性を考慮したうえで，不眠時・不穏時指示を出しています．

●せん妄ハイリスク時の不眠に有用な薬剤

実臨床で，せん妄ハイリスクの患者さんの不眠に有用な薬剤として，トラゾドン，ミアンセリン，エスゾピクロン，スボレキサント，レンボレキサントなどがあげられます（表11）．**本書が特にオススメするのは，トラゾドンまたはレンボレキサントですが**，ここでは順に解説していきます．

トラゾドンは，抗うつ薬であるにもかかわらず抗うつ作用は弱く，**適度な鎮静作用をもつ薬剤です．半減期が短いため翌日への持ち越しが少ない**というメリットがあり，さらに**筋弛緩作用が弱いため，転倒のリスクも少ない**と考えられます．実臨床では「不眠時指示」として，トラゾドン25 mgを合計3回ほど追加内服できるように指示を出します．不眠に対して投与する際，上限が150 mg程度と**用量幅が広い**ため，その点でも使いやすい薬剤です．ちなみに，後でも述べますが，トラゾドンは開始用量の25mgでは鎮静作用が弱いため，必ず積極的に追加することが大きなポイントです．現場では「たくさん使うと転ぶのでは」「次の日に残ると困る」などととして，十分な量まで使われていないケースに遭遇します．トラゾドンは，転倒や持ち越しのリスクがきわめて少ないため，**たとえ高齢の患者さんであっても積極的に追加**しましょう．

ミアンセリンは，トラゾドンと同様に，抗うつ薬であるにもかかわらず抗うつ効果は弱く，**適度な鎮静作用をもつ薬剤**です．実臨床では「不眠時指示」として，ミアンセリン10〜20 mgを合計3回くらい追加内服できるように指示を出し，60 mg程度を上限とします．鎮静作用はトラゾドンより少し強いと考えられますが，**半減期がやや長いため，翌日への持ち越しに注意が必要**です．

実践編

表11 せん妄ハイリスク患者の不眠に用いる薬剤のまとめ

分類		一般名 (商品名)	不眠症への保険適用	開始用量	最大用量	特徴
鎮静系抗うつ薬		トラゾドン (レスリン, デジレル)	なし	25〜50 mg	150 mg	● 抗うつ作用は弱く,適度な鎮静作用 ● 睡眠の深度を増強する ● 用量幅が広く,単剤で調整しやすい ● 半減期が短く,翌日への持ち越しが少ない ● 筋弛緩作用が弱く,転倒が少ない
鎮静系抗うつ薬		ミアンセリン (テトラミド)	なし	10〜20 mg	60 mg	● 抗うつ効果は弱く,適度な鎮静作用 ● 用量幅が広く,単剤で調整しやすい ● トラゾドンより半減期が長い
睡眠薬	ベンゾジアゼピン受容体作動薬	エスゾピクロン (ルネスタ)	あり	1〜2 mg	3 mg (高齢者,高度肝機能/腎機能障害の患者は2 mg)	● BZ受容体作動薬だが,せん妄を惹起するリスクは比較的少ない可能性 ● 用量幅は狭い ● 抗不安作用を有する ● 起床時に苦みが出ることがある
睡眠薬	オレキシン受容体拮抗薬	スボレキサント (ベルソムラ)	あり	10〜20 mg (原則 15 mg)	20 mg (高齢者は15 mg)	● RCTでせん妄予防効果を認める ● 用量幅は狭い ● 併用禁忌薬に注意(CYP3A) ● 一部の薬との併用時は10 mgにする(CYP3A) ● 簡易懸濁や粉末化は不可 ● 一包化は不可
睡眠薬	オレキシン受容体拮抗薬	レンボレキサント (デエビゴ)	あり	2.5〜5 mg (原則 5 mg)	10 mg	● 効果発現が速く,頓服で有用 ● 用量幅は広い ● 一部の薬との併用時は2.5 mgにする(CYP3A) ● 簡易懸濁や粉末化が可能 ● 一包化が可能 ● 重度肝障害に禁忌

エスゾピクロンは，ベンゾジアゼピン受容体作動薬ではあるものの，コラム（p54 参照）でも解説したように，せん妄を惹起するリスクは少ない可能性があります．薬理作用として，決して強くはないものの抗不安作用をもち，健忘に関する副作用が比較的少ないと考えられるため，不安を伴うせん妄ハイリスクの患者さんの不眠に対して有用と考えられます．ただし，起床時に口腔内に苦みを感じる場合があるため，必ず確認するようにしましょう．なお，高齢者や高度肝機能障害または高度腎機能障害の患者さんでは上限が 2 mg までとされています．

岡山大学病院精神科リエゾンチームでは，せん妄ハイリスクの患者さんに対する不眠時指示として，これまではトラゾドンを選択してきました．また，多くの診療科でも，ご自身の判断でトラゾドンを選択する先生が増えてきました．本来であれば，トラゾドンは不眠症への保険適用がないため，適用のある薬剤を使うべきです．ただし，当時不眠症に保険適用をもっていたのはベンゾジアゼピン受容体作動薬であり，せん妄ハイリスクの患者さんへの投与によって薬剤性せん妄を発症する可能性が高いため，このことがトラゾドンを使用する大義名分となっていました．院内の委員会でもトラゾドンを用いることについて協議され，病院全体のコンセンサスが得られていました．

やがて時代は変わり，**せん妄を惹起するリスクがないだけでなく予防効果さえも期待できる，オレキシン受容体拮抗薬が登場しました**．これからは，間違いなくオレキシン受容体拮抗薬の時代となりますが，オレキシン受容体拮抗薬にはスボレキサントとレンボレキサントの 2 種類があるため，うまく使い分けるためにも，どこがどう違うのかについて整理しておきましょう．

スボレキサントは，オレキシン受容体拮抗薬であり，転倒や依存性，離脱症状などのリスクが少ないとされています．RCT で

せん妄の予防に関する有効性が報告されており[3]，せん妄ハイリスクの患者さんに有効です．ただし，CYP3Aを強く阻害する**クラリスロマイシン，イトラコナゾール，ボリコナゾール，ポサコナゾールなどとの併用が禁忌**で，またCYP3Aを阻害する**ジルチアゼム，ベラパミル，フルコナゾールなどとの併用時には1回10 mgにする**必要があるなど，指示・処方の際には前もって確認が必要です．また，原則として15 mgで投与を開始しますが，**高齢者の上限は15 mg**までとなっており，用量幅がやや狭いという問題点があります．また，**簡易懸濁や粉末化，一包化が不可**のため，注意が必要です．

レンボレキサントは，スボレキサントと同じく，転倒や依存性，離脱症状などのリスクが少ないオレキシン受容体拮抗薬です．せん妄の予防に関する十分なエビデンスはありませんが，少なくともせん妄を惹起する心配はないと考えられます．なお，併用禁忌薬はありませんが，**フルコナゾール，エリスロマイシン，ベラパミル，イトラコナゾール，クラリスロマイシンなどと併用する際には，2.5 mgにする**必要があります．

スボレキサントと比較したレンボレキサントの強みは，**①効果発現が速い，②用量幅が広い，③簡易懸濁や粉末化が可能**，の3つです．まず，効果発現が速いことは，大きなメリットと考えられます．オレキシン受容体拮抗薬は，ベンゾジアゼピン受容体作動薬と異なり，半減期と効果の持続時間が必ずしも相関せず，オレキシン受容体への結合・解離の速さや程度が関連しています．レンボレキサントは，スボレキサントに比べて，オレキシン受容体への解離・結合がすみやかです．したがって，**入眠作用が速く，翌日への持ち越しを避けることができ，また頓服として有用な可能性があります**（図19）．次に，レンボレキサントは**高齢者でも用量の上限が同じで，5 mgを基本的な投与量として，2.5 mg，5 mg，7.5 mg，10 mgと4段階の調整が可能**です．このように，用量幅がきわめて広いため，単剤で調整しやすいというメリッ

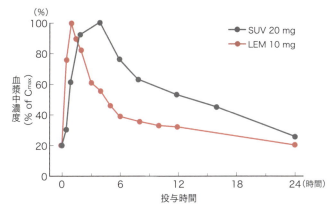

C_{max}：最高血漿中濃度，SUV：スボレキサント，　LEM：レンボレキサント
（SUV は 003 試験，LEM は 003 試験の結果を重ねて作図）

図19 スボレキサントとレンボレキサントの血中濃度の推移

文献4より引用

トがあります．そして，スボレキサントと違って**簡易懸濁や粉末化が可能**なため，内服は不可でも胃管チューブが挿入されている患者であれば投与することができます．

なお，**ラメルテオン**は，メラトニン受容体作動薬であり，転倒や依存性，離脱症状などのリスクが少ないうえ，RCTでせん妄の予防に関する有効性が示されています[5]．ただし，**睡眠作用がきわめて弱いだけでなく，効果発現にも日数がかかる**（少なくとも1週間程度）ため，入院患者の不眠に対する頓服薬には適していません．そこで，例えば超高齢の患者さんや重篤な身体疾患の患者さんなど，確実に副作用を避けたい場合に，定時薬として用いることがあります．添付文書上，投与時間は就寝前となっていますが，血中濃度の推移などから，実臨床では夕食後の投与が有効と考えられます．なお，フルボキサミンとの併用は禁忌（CYP1A2阻害作用のため）です．

実践編

せん妄ハイリスク患者への不眠時指示

- 薬剤選択では,原則として,ベンゾジアゼピン受容体作動薬以外の薬を用いる
- 入院前,自宅で眠れないときにベンゾジアゼピン受容体作動薬を内服していた場合でも,ベンゾジアゼピン受容体作動薬以外の薬で指示を出す
- 不眠時指示では,基本的に3回程度まで薬を使えるように指示を出す
- 可能であれば,単剤で指示を出す(効果や副作用の評価がしやすくなるため)

---

*本書オススメは,**指示例1**(トラゾドン)または**指示例5**(レンボレキサント)

■**指示例1**
不眠時:トラゾドン 25 mg 30分以上あけて計3回までOK

■**指示例2**
不眠時:ミアンセリン 10 mg 30分以上あけて計3回までOK

■**指示例3**
不眠時:①エスゾピクロン 2 mg*
　　　　②トラゾドン 25 mg
　　　　③トラゾドン 25 mg
　　　　それぞれ30分以上あけること
*高齢者の場合,上限が2 mgのため,2番目以降は別の薬剤にする

■**指示例4**
不眠時:①スボレキサント 15 mg*
　　　　②トラゾドン 25 mg
　　　　③トラゾドン 25 mg
　　　　それぞれ30分以上あけること
*高齢者の場合,上限が15 mgのため,2番目以降は別の薬剤にする

■**指示例5**
不眠時:①レンボレキサント 5 mg
　　　　②レンボレキサント 2.5 mg
　　　　③レンボレキサント 2.5 mg
　　　　それぞれ30分以上あけること

本書では，トラゾドン（指示例1）またはレンボレキサント（指示例5）を，特にオススメします．この2剤はともに用量幅が広く，単剤で調整しやすいことが共通点です．例えば，せん妄ハイリスクの高齢患者さんに対して，不眠時指示を「スボレキサント 15 mg」にした場合を考えてみます．実際には，それだけでは眠れないこともあるため，あらかじめ2番目，3番目の指示が必要となります．ただし，スボレキサントは高齢者の上限が15 mgのため，2番目以降は別の薬剤にせざるを得ません．そうなると，結果的に複数の薬剤が入り交じる可能性が出てきます．

　不眠やせん妄に関する薬物療法は，「単剤」で調整するのが原則です．多剤になってしまうと，どの薬が効いているのかがわかりにくくなるだけでなく，将来的にどの薬から減量・中止すればよいかの判断も難しくなります．その点，トラゾドンやレンボレキサントの用量幅は広く，不眠時指示の1～3番目をすべて同じ薬剤にできるため，単剤で調整しやすいのが大きなメリットです．

●薬剤の調整

　せん妄ハイリスクの患者さんに対して，入院時に不眠時・不穏時指示を出した後，可能であれば翌日に，それが難しい場合でも数日以内には，**「夜間眠れているか」「頓服が何回使われているか」「その結果眠れているか」**の3つを確認しましょう（図20）．

　ここでは，あらかじめ不眠時指示を出したせん妄ハイリスクの患者さんについて，4つのケースごとに具体的な薬剤調整の方法を解説していきます．

　例えば，トラゾドンを用いて，以下のような不眠時指示を出したとします．

■初回
不眠時：トラゾドン 25 mg　30分以上あけて計3回まで OK

実践編

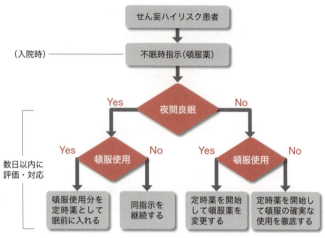

図20 せん妄ハイリスク患者への不眠時指示の薬剤調整フローチャート

CASE 1

看護師から,「連日,不眠時のトラゾドン25 mgを計2回内服しており,その後は朝まで眠れています」という報告がありました.

このケースでは,不眠に対して連日頓服薬が使われているので,「定時薬が必要」と評価できます.そして,トラゾドン合計50 mgで眠れているということなので,トラゾドンには一定の効果がありそうです.定時薬としてトラゾドン50 mgを開始し,不眠時指示は変更なし,とするのがよいでしょう.

■変更後
定時薬:トラゾドン50 mg 眠前
不眠時:トラゾドン25 mg 30分以上あけて計3回までOK

CASE 2

看護師から,「連日,不眠時のトラゾドン 25 mg を計 3 回すべて使ったのですが,全く眠れていません」という報告がありました.

このケースでは,トラゾドン 75 mg でも「全く」眠れていなかったということなので,今回トラゾドンには効果が期待できないと評価できます.他の薬剤で不眠時指示を出すことに加えて,連日不眠をみとめているため,定時薬も開始しましょう.

■変更後
定時薬:レンボレキサント 5 mg　眠前
不眠時:レンボレキサント 2.5 mg　30 分以上あけて計 2 回までOK

CASE 3

看護師から,「連日,夜は眠れていません.でも,患者さんは薬を希望されませんでしたし,不穏などもなかったので,様子をみています」という報告がありました.

このようなケースは,実臨床できわめて多くみられます.つまり,せん妄ハイリスクの患者さんが不眠を認めているにもかかわらず,頓服薬が全く使われていないのです.

不眠時指示を使うかどうかの判断基準は,看護師によってまちまちです(図 21).一般的に,患者さんが不眠をきたしていても,本人から「眠れなくて困っています」「薬をください」などの訴えがない場合,看護師の多くは頓服薬を使わずに様子をみる傾向にあります.

例えば 30 歳の患者さんなど,せん妄のリスクがない場合はそ

実践編

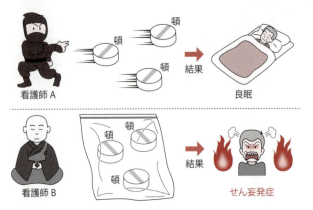

図21 頓服薬を使う判断基準は看護師によってまちまち

れでもよいと思われます．ただし，せん妄ハイリスクの患者さんでは，薬を使わずに不眠を放置した結果，一晩不眠で経過するだけでなく，夜中になってせん妄が現れる可能性もあるのです．

そこで，せん妄ハイリスクの患者さんの場合，図22で示す基準のように，①だけでなく②や③についても**積極的に頓服を使う**ことが重要です．そして看護師の間で，**この判断基準を共有しておく必要があります**．また，医師が不眠時指示を出す際，看護師に「この患者さんはせん妄の発症リスクが高いので，もし眠れていない場合は，本人から特に訴えがなくても，必ず積極的に頓服を使ってください」と申し添えておくのもよいでしょう．

ただし，せん妄ハイリスクの患者さんは，いつ興奮状態となるか予測がつきにくく，また興奮に対して不眠時指示の薬剤では効果が弱いと考えられます．そこで，予防的な視点で考えると，不眠時指示だけではなく，せん妄を発症した際の**「不穏時指示」も併せて出しておくのがよいでしょう**．

不穏時指示では，トラゾドンやミアンセリン，エスゾピクロン，スボレキサント，レンボレキサントなどの薬剤ではなく，より強

若い患者 → ①のみでOK

せん妄ハイリスク患者 → ①②③とも積極的に！

> **不眠時指示を使う判断基準**
> ①本人から「眠れない」「薬がほしい」という訴えがある場合
> ②本人からの訴えはないが，他覚的に眠れていない場合
> ③本人からの訴えはないが，ゴソゴソと落ち着きがない場合

図22 不眠時指示を使う判断基準

い鎮静作用や抗幻覚妄想作用をもつ抗精神病薬を用いる必要があります．これについては，実践編2章「せん妄に対する治療的介入」で詳述します．

せん妄ハイリスク患者への不眠・不穏時指示の例

【不眠時】

①レンボレキサント 5 mg
②レンボレキサント 2.5 mg
③レンボレキサント 2.5 mg
それぞれ30分以上あけること

【不穏時】
〈糖尿病がない場合〉
クエチアピン 25 mg　30分以上あけて計3回までOK
〈糖尿病がある場合〉
リスペリドン液 0.5 mL　30分以上あけて計3回までOK

実践編

CASE 4
看護師から,「患者さんから薬の希望はあったのですが,すでに0時を過ぎていたので,頓服は使いませんでした」という報告がありました.

　このようなケースも,実臨床で多くみられます.つまり,せん妄ハイリスクの患者さんが不眠を認めているにもかかわらず,翌日への持ち越しなどが懸念されて,頓服薬が使われないのです.

　確かに,「頓服薬は何時までに使うべきか?」について,明確なエビデンスや一定の見解はありません.一般的には,翌日に効果を持ち越さないようにするためにも,原則として0時くらいまでに使用するのが望ましいかもしれません.ただし,0時を過ぎてしまうと頓服薬が使用できないというのは,夜中にせん妄を発症してしまうケースがあることを考えると,患者さんや医療者にとって大きなデメリットです.そこで,原則は原則として,症状が強いときなどでは,0時を過ぎても少々の持ち越しを覚悟で頓服を使用し,翌日必ず診察をしたうえで薬剤を再調整する,というのが現実的と思われます.また,そのような状況を想定すると,やはり不眠時や不穏時に用いる薬剤は,できるだけ半減期の短い薬剤がよいでしょう.なお,夜中によく目が覚めて朝まで眠れない患者さんの場合,不眠時指示として「0時まではトラゾドン 25 mg を計3回まで,0時以降はトラゾドン 12.5 mg を計3回まで」のように,時間帯ごとに指示を出す方法もあります.ぜひ参考にしてください.

③ 内服中のせん妄ハイリスク薬(特にBZ受容体作動薬)を減量・中止し,新たにせん妄ハイリスク薬を入れない

入院前または入院後3日以内(一次予防)

STEP 1　リスク因子の確認

- ☐ 70歳以上
- ☐ 脳器質的障害
- ☐ 認知症
- ☐ アルコール多飲
- ☐ せん妄の既往
- ☐ リスクとなる薬剤(特にBZ受容体作動薬)の使用
- ☐ 全身麻酔を要する手術後またはその予定があること

STEP 2　せん妄の予防対策

- 患者および家族への説明
- せん妄ハイリスク薬の回避
- 不眠時・不穏時指示
- せん妄予防ケアの立案・実施

入院中(二次予防)

STEP 3　せん妄の早期発見

- ツールを用いた評価
- 臨床的評価
- 他疾患との鑑別

STEP 4　せん妄の治療

原因療法／薬物療法／非薬物療法

図23　STEP 2　せん妄の予防対策-③(簡易図)

STEP 2　せん妄の予防対策	2　ハイリスク患者に対するせん妄対策
・患者および家族への説明 ・不眠時・不穏時指示 ・せん妄ハイリスク薬の回避(BZ受容体作動薬)の減量・中止・変更／使用回避 ・せん妄予防ケアの立案・実施	☐認知機能低下に対する介入(見当識の維持など) ☐脱水の治療・予防(適切な補液と水分摂取) ☑リスクとなる薬剤(特にBZ系薬剤)の漸減・中止 ☐早期離床の取組 ☐疼痛管理の強化(痛みの客観的評価の併用など) ☐適切な睡眠管理(非薬物的な入眠の促進など) ☐本人および家族へのせん妄に関する情報提供
本書のフローチャート	せん妄ハイリスク患者ケア加算チェックリスト

図24　本書のフローチャートと加算算定チェックリストの対応表3

実践編　1章 ● せん妄に対する予防的介入

STEP 1では,すでに内服している薬剤のなかから,せん妄ハイリスク薬(特にベンゾジアゼピン受容体作動薬)をピックアップしました.そこでSTEP 2では,STEP 1でピックアップしたせん妄ハイリスク薬(p49 表7参照)を,できるだけ減量・中止,またはせん妄の発症リスクが少ない他の薬に変更します.

●せん妄ハイリスク薬への考え方

まず,そのせん妄ハイリスク薬について,内服継続の必要性を評価します.例えば,痒みのために抗ヒスタミン薬を1週間前から内服していて,もし症状がおさまっていれば,その抗ヒスタミン薬は中止が可能かもしれません.

次に,そのせん妄ハイリスク薬の内服継続が必要な場合,同じ効果のある,せん妄の発症リスクが少ない他の薬剤への変更を考えます.例えば,慢性のアレルギー疾患で抗ヒスタミン薬を長期内服しており,内服によって症状がおさまっている場合では,中止は困難と考えられます.そのようなケースでは,比較的せん妄の発症リスクが少ないとされる第二世代以降の抗ヒスタミン薬への変更を検討します.また,H_2受容体拮抗薬であるファモチジンなどもせん妄のハイリスク薬とされており(いわゆる「ガスターせん妄」),可能であればPPIへの変更を行います.さらに,頻尿治療薬では,フェソテロジン,ソリフェナシンのような薬剤は比較的中枢移行性が低く,せん妄の発症リスクが少ないと考えられます(インタビューフォームより).

●内服中のベンゾジアゼピン受容体作動薬に関する対応

すでに述べたように,「せん妄ハイリスク患者ケア加算」では,数あるせん妄ハイリスク薬のなかでも,特にベンゾジアゼピン受容体作動薬がフォーカスされています(p52 表8参照).実際,ベンゾジアゼピン受容体作動薬を内服している患者さんはきわめて多いため,どう対応するかについては,あらかじめ組織(病院

や病棟)として決めておくのがよいでしょう.

　内服薬のなかにベンゾジアゼピン受容体作動薬がある場合,他のハイリスク薬と同様に,まずは内服継続の必要性を評価します.そして内服継続が不要なら減量・中止を,内服継続が必要ならせん妄の発症リスクの低い代替薬への変更を検討します.

　ただし,ベンゾジアゼピン受容体作動薬を長期内服しており,すでに依存が形成されているケースでは,安易な**減量・中止で離脱症状(反跳性不眠,不安・焦燥,自律神経症状,せん妄など)をきたす可能性があります**.内服を中止してから離脱症状が出現するまでの期間は,半減期の短い薬剤では12〜24時間(半日〜1日)以内とされており,24〜72時間(1〜3日)後にピークとなります.また,半減期の長い薬剤ではそれぞれ延長します.

　そこで,内服中のベンゾジアゼピン受容体作動薬の減量・中止が可能かどうかを判断するために,**①半減期,②内服量,③内服期間,④内服頻度,⑤処方診療科**の5つを確認しましょう(表12).これらの情報をもとに,具体的な対応策を検討することになります.

表12　内服中のベンゾジアゼピン受容体作動薬についての確認事項

確認項目	減量・中止のしやすさ	
	しやすい ⟷	⟶ しにくい
①半減期	長い	短い
②内服量	少ない	多い
③内服期間	短い	長い
④内服頻度	ときどき	毎日
⑤処方診療科	非精神科医	精神科医

　まず,内服中のベンゾジアゼピン受容体作動薬について,その**半減期**を確認します(p52 表8参照).例えば,トリアゾラム(ハルシオン)やブロチゾラム(レンドルミン),エチゾラム(デパス)

といった半減期が短い薬では,半減期の長い薬に比べて依存が形成されやすく,急な中止は難しいことがあります.したがって,複数のベンゾジアゼピン受容体作動薬を内服している場合は,離脱症状の発症リスクという観点から,長時間作用型の薬のほうを減らすのがよいでしょう.次に,**内服量**については,少ないほど減量・中止がしやすくなります.また,**内服期間**は,長くなるほど依存が形成されやすいため,減量・中止は困難です.そして,**内服頻度**については,頓服薬の場合は減量・中止がしやすく,逆に定期内服のケースでは難しくなります.最後に,ベンゾジアゼピン受容体作動薬を**処方しているのが精神科医や心療内科医**の場合,背景に何らかの精神疾患(うつ病や不安障害など)が存在している可能性があります.その場合,減量・中止によって精神症状が再燃するかもしれないため,内服の継続が無難でしょう.

ちなみに,岡山大学病院では,「**6カ月以上**」「**定期内服**」しているかどうかを,減量・中止が可能かどうかの判断基準としています(図25 ➡「ベンゾジアゼピン受容体作動薬の投与期間が6カ月から1年以上になると,約80%の患者さんで離脱症状が出現する」という報告[6]に基づいています)

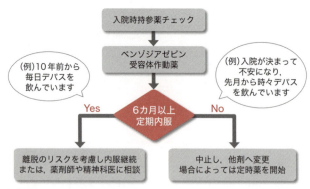

図25 せん妄ハイリスク患者における内服中のベンゾジアゼピン受容体作動薬のフローチャート(岡山大学病院)

「せん妄診療実践マニュアル」(井上真一郎/著),p20,羊土社,2019 より改変

ここでは，ベンゾジアゼピン受容体作動薬を内服中のせん妄ハイリスクの患者さんについて，4つのケースごとに，具体的な薬剤調整の方法を解説していきます．

CASE 1
患者さんから，「10年前から，毎日エチゾラム（デパス）を飲んでいます」という話がありました．

このケースでは，「6カ月以上」「定期内服」しているため，すでに依存が形成されていると考えられます．したがって，急な中止で離脱症状が出現する可能性がきわめて高いため，せん妄ハイリスク薬ではあるものの，エチゾラムはそのまま内服してもらいます．実臨床では，他の観点からのせん妄予防対策を行うのがよいでしょう．

ただし，実臨床では例えば「長年，エチゾラムとゾルピデムとブロチゾラムを毎日飲んでいる」といったケースも決して少なくありません．このようにベンゾジアゼピン受容体作動薬を多剤または大量に内服している場合は，薬剤師や精神科医に相談しましょう．

CASE 2
患者さんから，「入院が決まって不安になり，先月から眠れない夜はときどきエチゾラムを飲んでいます」という話がありました．

このケースでは，「6カ月以上」ではなく，「定期内服」でもないため，依存はまだ形成されていないと考えられます．したがって，エチゾラムは直ちに中止すべきです．

また，エチゾラムは「定期内服」ではないため，入院時から定時薬として睡眠のための薬を開始する必要はありません．ただし，

トラゾドンやレンボレキサントなど，せん妄の発症リスクが少ない薬で不眠時指示を出しておき，それらを積極的に使うようにしましょう．なお，トラゾドンやレンボレキサントは，ベンゾジアゼピン受容体作動薬に比べると睡眠効果がやや弱いと考えられます．このケースのようにエチゾラムを内服したことがあるような患者さんには，少量では効果が出ない（患者さんの満足度が低い）可能性があるため，頓服の1回量をやや多めにするか，2回，3回と積極的に頓服薬を使うことを看護師間で共有しておきましょう．

間違っても，ふだん内服しているエチゾラムを不眠時薬にしてはいけません．

CASE 3

> 患者さんから，「1年前から，週に2〜3回，エチゾラムを飲んでいます」という話がありました．

このケースでは，「6カ月以上」ではあるものの，「定期内服」ではないため，依存はまだ形成されていないと考えられます．したがって，エチゾラムは直ちに中止すべきです．そして，CASE 2 と同様に考え，トラゾドンやレンボレキサントなど，せん妄の発症リスクが少ない薬で不眠時指示を出しておき，それらを積極的に使うようにしましょう．

CASE 4

> 患者さんから，「2カ月前から，毎日エチゾラムを飲んでいます」という話がありました．

このケースでは，「定期内服」ではあるものの，「6カ月以上」ではないため，依存はまだ形成されていないと考えられます．したがって，エチゾラムは直ちに中止すべきです．

ただし，エチゾラムを定期内服していたことを考慮すると，単

に中止しただけでは，薬によってコントロールできていた不眠が再度出現する可能性があります．そこで，エチゾラムの代わりにトラゾドンやレンボレキサントなどの代替薬を定期内服とし，投与量をやや多めにしたうえで，不眠時の頓服薬も積極的に使うようにしましょう．

　これら内服薬の確認は，薬剤師が行うか，もし難しい場合は医師と看護師が協力して進めます．くり返しになりますが，**多剤または大量のベンゾジアゼピン受容体作動薬を内服しているケースでは，薬剤師や精神科医に相談しましょう**．

● ベンゾジアゼピン受容体作動薬の減量・中止

　周術期や病状によっては，内服の期間や頻度にかかわらず内服薬を一時的に中止せざるを得ないことがあります．**ベンゾジアゼピン受容体作動薬は，急な減量・中止で離脱症状（反跳性不眠，不安・焦燥，自律神経症状，せん妄など）をきたす可能性があるため，十分注意が必要です**．

　内服中のベンゾジアゼピン受容体作動薬の中止によって離脱症状の出現が懸念される場合，表13の薬剤のなかから代替薬を選択します．代替薬をどのくらいの量に設定すればよいのかについては，表14の等価換算表が有用です．例えば，「2年前から，毎日，アルプラゾラムを朝夕食後に合計0.8 mg，眠前にゾルピデム10 mgを内服している」患者さんが，緊急入院となって内服が一時的にできない場合を考えてみます．表14によると，例えばアルプラゾラム0.8 mgとゾルピデム10 mgは，それぞれジアゼパム5 mgと等価です．そこで，ジアゼパムに換算すると10 mg/日に相当するため，ダイアップ坐剤（ジアゼパムの坐薬）の投与量を10 mg/日にするのが1つの考え方です．ただし，あくまでも目安のため，実際には効果や副作用を確認しながら調整する必要があり，特に身体的重症度が高い場合では，やや少なめに設定するのがよいでしょう．

表13 ベンゾジアゼピン受容体作動薬が内服できない際の代替薬

- **ブロマゼパム(ブロマゼパム)**:坐剤,肛門から挿入
  - ※添付文書によると,ブロマゼパム坐剤3 mgとブロマゼパム錠剤(レキソタン)5 mgの効果がほぼ同程度とされている
- **ジアゼパム(ダイアップ)**:坐剤,肛門から挿入
  - ※小児用であり,成人に対しては保険適用外である
- **ジアゼパム(セルシン,ホリゾン)**:静注,筋注
  - ※筋注は筋肉内で結晶化しやすいことなどから,経口投与より効果発現が遅くかつ弱い
- **フルニトラゼパム(サイレース)**:点滴静注
  - ※呼吸抑制などに十分な注意が必要である

*カッコ内は商品名

表14 ベンゾジアゼピン受容体作動薬の等価換算表

一般名	商品名	
ジアゼパム	セルシン,ホリゾン	5(基準)
アルプラゾラム	ソラナックス,コンスタン	0.8
エスゾピクロン	ルネスタ	2.5
エスタゾラム	ユーロジン	2
エチゾラム	デパス	1.5
オキサゾラム	セレナール	20
クアゼパム	ドラール	15
クロキサゾラム	セパゾン	1.5
クロチアゼパム	リーゼ	10
クロナゼパム	ランドセン,リボトリール	0.25
クロラゼプ	メンドン	7.5
クロルジアゼポキシド	コントール,バランス	10
クロバザム	マイスタン	10
ゾピクロン	アモバン	7.5
ゾルピデム	マイスリー	10
トフィソパム	グランダキシン	125

一般名	商品名	
トリアゾラム	ハルシオン	0.25
ニトラゼパム	ベンザリン,ネルボン	5
ハロキサゾラム	ソメリン	5
フルジアゼパム	エリスパン	0.5
フルタゾラム	コレミナール	15
フルトプラゼパム	レスタス	1.67
フルニトラゼパム	サイレース	1
フルラゼパム	ダルメート	15
ブロチゾラム	レンドルミン	0.25
ブロマゼパム	レキソタン,ブロマゼパム	2.5
メキサゾラム	メレックス	1.67
メダゼパム	レスミット	10
リルマザホン	リスミー	2
ロフラゼプ酸エチル	メイラックス	1.67
ロラゼパム	ワイパックス	1.2
ロルメタゼパム	エバミール,ロラメット	1

文献7より引用

●抗うつ薬の減量・中止

　一般に，抗うつ薬は抗コリン作用を有するため，せん妄ハイリスク薬と考えられます．なかでも特に注意が必要なのは，三環系抗うつ薬とSSRIのパロキセチン（パキシル）です．

　三環系抗うつ薬のアミトリプチリン（トリプタノール）は，うつ病だけでなく末梢性神経障害性疼痛にも保険適用をもつため，精神科以外に整形外科や麻酔科（ペインクリニック）などでも広く処方されています．ただし，抗コリン作用が強く，せん妄ハイリスク薬でもあるため，もし漫然と投与されている場合は処方医に確認・相談のうえ，積極的に減量・中止を行いましょう．また，SSRIは比較的副作用が少ないものの，パロキセチンについては抗コリン作用が強く，せん妄を引き起こすリスクが高いため，やはり漫然と内服している際は減量・中止を検討しましょう．

　ただし，**抗うつ薬は，急な減量・中止によって，3～5日以内を目安に中断症候群（中止後症状）が起こる可能性があります．**中断症候群では，ふらつき，めまい，頭痛，不安，嘔気・嘔吐，不眠など，さまざまな症状がみられます．したがって，例え三環系抗うつ薬やパロキセチンであっても，特に高用量を内服している場合では，急な減量・中止を避ける必要があります．

　なお，周術期や病状によっては，内服薬を一時的に中止せざるを得ないことがあります．高用量の抗うつ薬を内服している患者では，内服中止後3～5日以内に中断症候群が出現する可能性を考慮すると，内服できない期間が5日を超える場合，厳密には代替薬を検討する必要があります．ただし，抗うつ薬のなかで唯一の注射薬であるクロミプラミン（アナフラニール）は，三環系抗うつ薬に分類されます．つまり，抗コリン作用が強く，せん妄を惹起または悪化させる可能性が高いため，代替薬として推奨されません．そこで，実際には抗うつ薬の中止に伴う代替薬の投与は原則として行わず，中断症候群の出現の有無を注意深く確認します．そして，もし中断症候群がみられた場合は，引き続き経過観察と

するか,あるいは(せん妄のリスクはあるものの)ベンゾジアゼピン受容体作動薬などによる対症療法を行い,内服が可能となった時点ですみやかに抗うつ薬の内服を再開する,という対応が現実的です.

● 抗パーキンソン病薬の減量・中止

パーキンソン病の患者さんは,L-ドパやドパミンアゴニスト,抗コリン薬などを内服しています.これらの抗パーキンソン病薬は,すべてせん妄を惹起または悪化させるリスクがあるため,もし可能であれば,直近に追加された薬剤か抗コリン薬,次いでドパミンアゴニストの順に,減量・中止を検討します.

ただし,**抗パーキンソン病薬は,急な減量・中止によって,1週間以内を目安に離脱症状や悪性症候群をきたす可能性があります**.悪性症候群では,**発熱や自律神経症状(発汗,頻脈,血圧の変動,尿閉など),錐体外路症状(筋強剛,振戦,構音障害,嚥下障害,流涎など),意識障害(せん妄を含む),ミオクローヌス,呼吸不全**など,さまざまな症状がみられます.また,重症例では**急性腎不全に至ることがあり,対応が遅れてしまうと命にかかわります**.

周術期や病状によっては内服薬を一時的に中止せざるを得ないことがありますが,抗パーキンソン病薬を内服している場合はやはり悪性症候群に注意が必要です.実臨床では,レボドパ注射薬などを代替薬として用いることがあり,詳しくは成書[6]を参照してください.

● せん妄ハイリスク薬の使用回避

その他,せん妄の発症を防ぐために,入院中はできるだけせん妄ハイリスク薬を投与しないことが重要です.つまり,ライターさえなければ火はつかないため,直接因子を新たに加えないことがせん妄の予防につながるのです.

すでに述べたように、**入院時にベンゾジアゼピン受容体作動薬で不眠時指示を出さないこと**が大きなポイントです．その他，入院後に新たに薬剤を処方する場合や，投与中の薬剤を増量するなどの場合，その薬剤が表7（p49）のリストに入っていないかをあらかじめ確認しておきましょう．もしその薬剤がリストに入っている場合は，せん妄を惹起する可能性が高いと考えられるため，それでも投与した方が有益なのかについて十分検討し，場合によっては代替薬を用いるようにしましょう（p88参照）．

④ せん妄予防のための身体管理や環境調整を行う

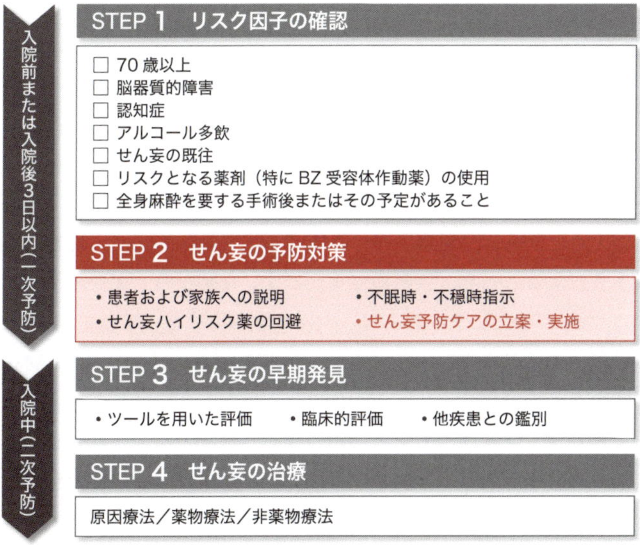

入院前または入院後3日以内（一次予防）

STEP 1　リスク因子の確認

- □ 70歳以上
- □ 脳器質的障害
- □ 認知症
- □ アルコール多飲
- □ せん妄の既往
- □ リスクとなる薬剤（特にBZ受容体作動薬）の使用
- □ 全身麻酔を要する手術後またはその予定があること

STEP 2　せん妄の予防対策

- ・患者および家族への説明
- ・せん妄ハイリスク薬の回避
- ・不眠時・不穏時指示
- ・せん妄予防ケアの立案・実施

入院中（二次予防）

STEP 3　せん妄の早期発見

- ・ツールを用いた評価　　・臨床的評価　　・他疾患との鑑別

STEP 4　せん妄の治療

原因療法／薬物療法／非薬物療法

図26 STEP 2　せん妄の予防対策-④（簡易図）

実践編

STEP 2　せん妄の予防対策	2　ハイリスク患者に対するせん妄対策
・患者および家族への説明 ・不眠時・不穏時指示 ・せん妄ハイリスク薬の回避（BZ受容体作動薬）の減量・中止・変更／使用回避 ・せん妄予防ケアの立案・実施	☑認知機能低下に対する介入（見当識の維持など） ☑脱水の治療・予防（適切な補液と水分摂取） ☐リスクとなる薬剤（特にBZ系薬剤）の漸減・中止 ☑早期離床の取組 ☑疼痛管理の強化（痛みの客観的評価の併用など） ☑適切な睡眠管理（非薬物的な入眠の促進など） ☐本人および家族へのせん妄に関する情報提供
本書のフローチャート	せん妄ハイリスク患者ケア加算チェックリスト

図27　本書のフローチャートと加算算定チェックリストの対応表4

　せん妄の発症を防ぐために，まずは入院のきっかけとなった身体疾患があれば，その治療を行います．つまり，火種（ライター）になる可能性があるものは，できるだけ早くとり除くことが大切ということです．

　それと同時に，患者さんにとって不快な身体症状が出現しないようにすることも，きわめて重要です．なぜなら，促進因子である「油」が新たにまかれると，火がつきやすくなってしまうため，積極的にこれらの症状をマネジメントすることがせん妄の予防につながるのです．

　入院後，促進因子である不眠，痛み，便秘，脱水，低栄養などがみられないよう，**不眠や痛みの有無，排便リズム，水分量や栄養状態などについて，定期的に評価し適切な対応を行う必要があります**（表15）．これらについては，患者さんに一番近い立場にある看護師が重要な鍵を握っています．

　また，せん妄の発症を防ぐためには，患者さんが安心でき，ふだんの生活に少しでも近づくように環境を整えます．そして，コ

表15 促進因子を加えないための評価項目とその対応

症状	評価項目	対応・ケア
不眠	・本人からの訴え(夜間の不眠/日中の眠気) ・医療者による観察(夜間の不眠/日中の眠気)	・原因の精査と除去を行う ・日中にリハビリテーションを行う ・「昼寝は15時までの30分」などの生活指導を行う ・寝る前に水分を多く摂らないことや,カフェイン含有飲料(コーヒー,紅茶,緑茶,栄養ドリンクなど)を控えるように指導する ・夜間の処置や点滴を減らす ・睡眠のための薬を投与する ・本人から薬の内服希望がなくても,積極的に頓服薬の内服を勧める
痛み	・本人からの訴え(発症時期/部位/性質/パターン/強さ/増悪・軽減因子) ※ケースによっては痛みスケール(VASやNRSなど)を使う ・医療者による観察〔眉をしかめる/歯を食いしばる/うめき声をあげる/物をつかんで離さない/興奮する/バイタルサイン(血圧・脈拍)〕	・原因の精査と除去を行う ・体位を調整する ・痛む部位のマッサージを行う ・痛む部位を冷やしたり温めたりする ・心理的サポートを行う ・鎮痛薬を投与する
便秘	・本人からの訴え(発症時期/排便回数/便の性状/パターン/食事量/腹痛などの有無) ・医療者による観察(腹部の張り)	・原因の精査と除去を行う ・水分摂取を促す ・軽い運動や腹部マッサージを行う ・便秘治療薬を投与する
脱水・低栄養	・本人からの訴え(水分量や食事量/尿量/口渇/消化器症状) ・医療者による観察〔皮膚の張り/体重/血液データ(電解質・腎機能・栄養状態)〕	・原因の精査と除去を行う ・水分摂取を促す ・食事の好みを確認する ・食べやすい食事の形態や調理法を検討する ・入れ歯のケアを行い,正しく装着する

ミュニケーションの方法を工夫するなど,「油」となる促進因子をとり除くことが重要です(表16).

表16 せん妄の促進因子

身体的苦痛	不眠, 疼痛, 便秘, 尿閉, 不動化(動けない状態), ドレーン類, 身体拘束, 視力/聴力低下 など
精神的苦痛	不安, 抑うつ など
環境変化	入院, ICU, 明るさ, 騒音 など

　入院すると,ふだんと比べて生活環境は一変します.せん妄ハイリスクの患者さんでは,入院直後から,たちまち多くの促進因子をかかえることになります.ある程度はやむを得ないものの,患者さんにとって少しでも安心できるように環境を整えることは,せん妄の発症を予防するうえできわめて重要です.これについては,医療者はもちろん,ご家族の役割も大切になってきます.

　環境調整については,一般的な推奨内容に沿って,病院や病棟の実情に合わせたマニュアルを作成することが有効です.また,シートなどにまとめておくと共有しやすくなり,医療者の意識向上にもつながります.

　ただし,例えば「カレンダーを置く」などと覚えておくだけでは,決してうまくいきません.きちんと目の届くところに置く,声に出して都度一緒に確認する,過ぎた日付に×をつけて今日は何日かがすぐにわかるよう工夫するなど,より実践的なせん妄対策を心がけましょう(表17, 図28).

　促進因子対策のキーワードは,**「不快を快に」「非日常を日常に」**です.決して難しく考える必要はなく,患者さんがなるべく快適に過ごせるよう,日常生活に近づけるようなケアや環境調整を行いましょう(図29).

　ただし,何を不快と感じるか,何を非日常と捉えるかは,患者さんによって違います(図30).そこで,患者さんがふだんどの

表17 促進因子への対策と注意点

目的	対策
睡眠覚醒リズムの調整	・朝から日光を採り込んで部屋を明るくし，夜間の照明はうす暗くする（夜は暗くしすぎると，かえって混乱が強くなりやすく，転倒のリスクも上がる） ・日中の活動の助けとなるもの（本・新聞・雑誌・テレビ・ラジオ・軽い運動など）を活用する ・リハビリテーションの導入を積極的に検討する ・夜間の持続点滴は排尿によって不眠をきたすため，なるべく夜間は点滴を控える
認知機能の回復・保持	・時計やカレンダーを目に入る場所に置き，一緒に日時を確認する ・ふだん使っている時計をもってきてもらう ・スケジュール表を作成し，声に出して一緒に確認する ・会話のなかに，さりげなく日時などの情報を入れ込む（「お昼の12時なのでお昼ご飯にしましょう」など）
不安の軽減	・面会・付き添いを無理のない範囲でお願いする．その際，適切な対応について具体的に情報提供を行う ・使い慣れた日用品をそばに置く ・好きな音楽や動画を流す（あくまでも本人の好みに合わせる） ・家族の写真・メッセージを飾る ・なるべく個室を検討する（安心できる環境に整えたり，自分のペースで過ごすことができるため，せん妄発症リスクが低い）
聴覚の補助	・ふだん使用している補聴器を使用する ・聞こえやすいほうの耳元に近づき，大きく低い声で，ゆっくりと短く話しかける（高齢になると高音域から聞こえにくくなる） ・耳垢を除去する
視覚の補助	・ふだん使用している眼鏡や拡大鏡を使用する ・ナースコールが目に入りやすいようにする（蛍光テープなどを貼る）
刺激の軽減	・処置自体で目が覚めてしまい不眠をきたすため，夜間は避けてなるべく日中に行う ・ラインやドレーン類をまとめたり，視界に入りにくくしたり，早めに抜去したりすることを検討する ・モニター音はなるべくカットする
リハビリ	・低活動型せん妄の場合，リハビリテーションを控えるのではなく，むしろ積極的に行う

（次ページに続く）

目的	対策
安全対策（転倒対策含む）	・ハサミや爪切りなどは危険物となるため，家族にもって帰ってもらう
	・トイレまでの移動距離をなるべく短くし，ポータブルトイレは適切な位置におく
	・身体拘束はせん妄の促進因子となるため，なるべく避けるとともに，その必要性について多方面から十分検討する
	・夜間の照明を確保する（うす暗く）
	・ベッドのストッパーをかけておく
	・低床ベッドを設置する
	・ナースコールを手の届きやすいところにおく
	・ベッド周囲を整理整頓し，動線に障害物を置かない
	・離床センサーを設置する
	・段差を減らす
	・床がぬれていないか確認する
	・踵のついた滑りにくい靴を使う（履き慣れたもの）
	・歩行補助具（杖，歩行器など）を利用する
	・手すりを設置・利用する
	・頻回に訪室する

ような生活をしているか，どのような場所に住んでいるのか，何の仕事をしていたのか，何が好きなのか，何を大切にしているのかなどについて，あらかじめ確認しておくのがよいでしょう．それらのことは，ケアや環境調整を行ううえで，とても参考になります．また，入院時にご家族にも尋ねるようにして，一緒に進めるのも有効です．なお，促進因子への対策では，作業療法士や理学療法士が大きな鍵を握っています．作業療法士や理学療法士はリハビリテーションを通して患者さんと長い時間を一緒に過ごすなかで，雑談などで患者さんの生活や人となりをよく把握しています．岡山大学病院では，精神科リエゾンチームのカンファレンスに作業療法士や理学療法士が参加し，患者さんに関する細かい情報を共有することで促進因子対策に活かしています．また，本

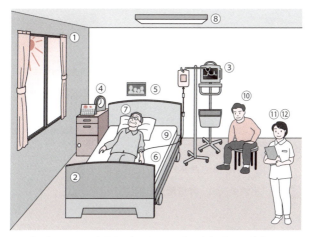

①日中はカーテンを開けて 部屋を明るくする（睡眠覚醒リズム）
②ベッドを窓際にして日光があたるようにする（睡眠覚醒リズム）
③モニター音などの 騒音カット（刺激軽減）
④カレンダーや時計（見当識）
⑤家族の写真（不安軽減）
⑥周囲の危険物除去（安全対策）
⑦眼鏡，補聴器など 使い慣れた日用品（不安軽減）
⑧夜間の照明は薄暗く（睡眠覚醒リズム）
⑨ラインやドレーン類の整理（刺激軽減）
⑩家族らの面会・付添（不安軽減）
⑪医療者による昼間の声掛け
⑫担当看護師を固定する（不安軽減）

図28 促進因子への標準的な対策

やパズル，ゲーム，DVDなど，さまざまなジャンルのグッズを入れた「お楽しみ箱」を準備し，そのなかから患者さんに好きなものを選んでもらう取り組みもはじめました．患者さんの好みは人それぞれで，興味があるもの以外は長続きしません．

促進因子を減らすためには，**標準的なせん妄対策（図28）について知っておいたうえで，それを個々の患者さんに応じてアレンジする必要があると言えるでしょう．**

実践編

```
┌─────────┐
│  不快   │
├─────────┤
│ ×疼痛   │
│ ×便秘   │
│ ×睡眠障害│
└─────────┘
┌─────────┐
│ 非日常  │
├─────────┤
│ ×安静   │
│ ×感覚遮断│
│ ×見当識障害│
└─────────┘
```
→ 介入 →
```
┌─────────┐
│   快    │
├─────────┤
│ ○除痛   │
│ ○排便コントロール│
│ ○睡眠衛生・環境調整│
└─────────┘
┌─────────┐
│  日常   │
├─────────┤
│ ○早期離床，歩行器│
│ ○眼鏡，補聴器│
│ ○面会，時計・カレンダー│
└─────────┘
```

主語が『患者さん』になっていますか？

図29 「不快を快に，非日常を日常に」

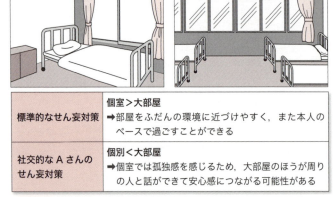

標準的なせん妄対策	**個室＞大部屋** ➡部屋をふだんの環境に近づけやすく，また本人のペースで過ごすことができる
社交的なAさんのせん妄対策	**個別＜大部屋** ➡個室では孤独感を感じるため，大部屋のほうが周りの人と話ができて安心感につながる可能性がある

図30 個別性を考慮した対策

STEP 3	せん妄の早期発見につとめる

入院前または入院後3日以内(一次予防)

STEP 1　リスク因子の確認

- ☐ 70歳以上
- ☐ 脳器質的障害
- ☐ 認知症
- ☐ アルコール多飲
- ☐ せん妄の既往
- ☐ リスクとなる薬剤（特にBZ受容体作動薬）の使用
- ☐ 全身麻酔を要する手術後またはその予定があること

STEP 2　せん妄の予防対策

- 患者および家族への説明
- 不眠時・不穏時指示
- せん妄ハイリスク薬（BZ受容体作動薬）の減量・中止・変更／使用回避
- せん妄予防ケアの立案・実施

入院中(二次予防)

STEP 3　せん妄の早期発見

- ツールを用いた評価
- 臨床的評価
- 他疾患との鑑別（認知症／うつ病／アカシジア／RLS）

STEP 4　せん妄の治療

- 原因療法
- 薬物療法
- 非薬物療法

図31 STEP 3　せん妄の早期発見

せん妄を早く発見することで早期介入が可能となり，結果的にせん妄の重症化や遷延化を防ぐことにつながります．

せん妄の評価方法には，「**ツールを用いた評価**」と「**臨床的な評価**」の2つがあります．また，認知症やうつ病，アカシジア，レストレスレッグス症候群など，他の疾患との鑑別にも注意が必要です．

① ツールを用いてせん妄の早期発見を行う

入院前または入院後3日以内（一次予防）

STEP 1　リスク因子の確認

- □ 70歳以上
- □ 脳器質的障害
- □ 認知症
- □ アルコール多飲
- □ せん妄の既往
- □ リスクとなる薬剤（特に BZ 受容体作動薬）の使用
- □ 全身麻酔を要する手術後またはその予定があること

STEP 2　せん妄の予防対策

- 患者および家族への説明
- せん妄ハイリスク薬の回避
- 不眠時・不穏時指示
- せん妄予防ケアの立案・実施

入院中（二次予防）

STEP 3　せん妄の早期発見

- **ツールを用いた評価**
- 臨床的評価
- 他疾患との鑑別

STEP 4　せん妄の治療

原因療法／薬物療法／非薬物療法

図32 STEP 3　せん妄の早期発見 - ①（簡易図）

せん妄の評価ツールは，その目的によって，**①スクリーニング**，**②診断**，**③重症度評価**の3つに分けられます（表18）．

表18 せん妄の評価ツール

	スクリーニング	診断	重症度評価
	早期発見が目的	主に研究用	
CAM	○		
DST	○		
NEECHAM	○		
Nu-DESC	○		
SQiD	○		
CAM-ICU	○		
ICDSC	○		
DSM-5		○	
DRS-R-98		○	○
MDAS			○

CAM：Confusion Assessment Method,
DST：Delirium Screening Tool,
NEECHAM：NEECHAM Confusion Scale,
Nu-DESC：Nursing Delirium Screening Scale,
SQiD：Single Question in Delirium,
CAM-ICU：Confusion Assessment Method for the Intensive Care Unit,
ICDSC：Intensive Care Delirium Screening Checklist,
DSM-5：Diagnostic and Statistical Manual of Mental Disorders, Fifth Edition,
DRS-R-98：Delirium Rating Scale Revised 98,
MDAS：Memorial Delirium Assessment Scale

　実臨床では，**せん妄にいち早く気づくことがポイントのため，スクリーニングが最も重要です**．経験に頼った評価はせん妄の見逃しにつながりやすい[9]とされており，可能な限りスクリーニングツールを用いるのがよいでしょう．ツールを使うことで見逃しが減るだけでなく，せん妄に気づくための着眼点を知ることができるという教育的なメリットがあります．また，病院や病棟全体のせん妄に対する意識向上にもつながります．

　ただし，多忙な臨床現場ですべての患者さんにツールを用いて評価するのは，決して現実的ではありません．そこで「せん妄ハ

イリスク患者ケア加算」でも示されているように，まず STEP 1 として患者さんのせん妄リスクを評価し，せん妄ハイリスクと考えられる場合にツールを用いるのが効率的です．その際，継続して行わないと意味がないため，短い時間で実施可能なツールを用いるのがよいでしょう（表19）．病棟や在宅では CAM や DST，ICU では CAM-ICU や ICDSC がよく用いられています．

表19 スクリーニングツール（短時間で実施可能なもの）

実施場所	ツール	形式	評価項目数	特徴
病棟在宅	CAM	観察	4項目	項目数がきわめて少ない 評価者によって感度がばらつく 「幻覚」の評価項目がない
病棟在宅	DST	観察	11項目	感度が高い 項目数はやや多い 「注意障害」の評価項目がない
病棟在宅	SQiD	質問	1項目	認知症との鑑別に有用（p116参照） 家族に尋ねる必要がある
ICU	CAM-ICU	質問	4項目	発声できない患者でも使用可能 1日に複数回評価を行う必要がある
ICU	ICDSC	観察	8項目	項目数はやや多い 記録から判断してもよい

● CAM（図33, p264参照）

　CAM の評価項目は，①急性発症と変動性の経過，②注意散漫，③支離滅裂な思考，④意識レベルの変化，の4項目ときわめて少なく，短時間で実施できるため，広く使用されています．①②の両方を満たすことが必須で，③または④のうち1つでも該当すればせん妄の可能性があります．なお，評価者によって感度にばらつきがあることに注意が必要です．また，実臨床で見逃されやすい**「幻覚」**が評価項目に入っていないため，CAM で評価した際には，追加で幻覚の有無も必ず確認しましょう．

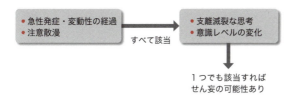

図33 CAM

文献10を参考に作成

● DST（図34, p265参照）

DSTは，「A：意識・覚醒・環境認識のレベル（7項目）」，「B：認知の変化（2項目）」，「C：症状の変動（2項目）」という，3つのカテゴリーで評価を行います．合計11項目とやや多いものの，慣れると5分以内で実施できます．なお，少なくとも24時間を振り返って評価を行う必要があります．感度が高く有用ではあるのですが，せん妄でよくみられる**「注意障害」が評価項目に入っていない**ことに気をつけておきましょう．

図34 DST

文献11を参考に作成

● CAM-ICU（図35, p266参照）

CAM-ICUは，ICUで最も使用されているツールの1つで，評価項目がいずれも具体的です．また，挿管中など，発声ができない患者さんにも使用できるのが大きなメリットです．まずはRASS（鎮静スケール）を実施し，-3以上の場合に評価を行います．CAM-ICUでは，「急性発症または変動性の経過」と「注意力の欠如」の2つが必須で，「意識レベルの変化」があるか，もしく

は意識が安定していても「無秩序な思考」があれば、せん妄の可能性ありと判断します。ただし、CAM-ICUはピンポイントでの判定です。つまり、評価を行ったその時点でのせん妄の有無が反映されるため、1日に複数回評価を行うとともに、**必ず一度は夜勤帯に評価を行う**必要があります。

(RASS -3以上(鎮静状態が中等度以上)で評価)

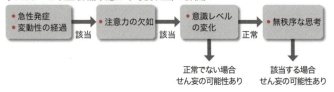

図35 CAM-ICU

文献12を参考に作成

● ICDSC(図36, p267参照)

ICDSCは、「意識レベルの変化」「注意障害」「見当識障害」「幻覚、妄想、精神障害」「精神運動的な興奮あるいは遅滞」「不適切な会話あるいは情緒」「睡眠／覚醒サイクルの障害」「症状の変動」の8項目で評価を行い、4項目以上あてはまればせん妄の可能性ありと判断します。患者さんの協力を必要とせず、**記録などから評価することが可能**で、ICUでよく用いられます。**8時間のシフトごとか、もしくは24時間以内の情報**に基づいて、連続的に評価を行いましょう。

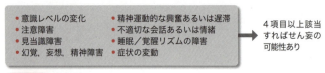

図36 ICDSC

文献13を参考に作成

② 臨床的な評価でせん妄の早期発見を行う

入院前または入院後3日以内(一次予防)

STEP 1 リスク因子の確認

- □ 70歳以上
- □ 脳器質的障害
- □ 認知症
- □ アルコール多飲
- □ せん妄の既往
- □ リスクとなる薬剤(特にBZ受容体作動薬)の使用
- □ 全身麻酔を要する手術後またはその予定があること

STEP 2 せん妄の予防対策

- ・患者および家族への説明
- ・せん妄ハイリスク薬の回避
- ・不眠時・不穏時指示
- ・せん妄予防ケアの立案・実施

入院中(二次予防)

STEP 3 せん妄の早期発見

- ・ツールを用いた評価
- ・臨床的評価
- ・他疾患との鑑別

STEP 4 せん妄の治療

原因療法/薬物療法/非薬物療法

図37 STEP 3 せん妄の早期発見-②(簡易図)

　医療者は,患者さんがせん妄を発症していてもそれに気づかず,見逃してしまうことがよくあります.誰が見ても「せん妄」とわかる状態になってから治療を行うよりも,もっと早い段階で治療的介入をはじめたほうがよいのは言うまでもありません.そこで,**せん妄は「見つけよう!」と常に意識しておかなければ早期発見が難しいと考え,せん妄に気づくための臨床的な評価ポイントを知っておき,日ごろからアンテナの感度を高めておくのがよい**でしょう.

　また,せん妄では日内変動がみられるため,日中は比較的受け答えがしっかりしていることもあります.したがって,日中の診察のみではせん妄かどうかの判断がつかない場合があることを念頭に置き,夜間の様子もあわせて評価することが大切です.例え

ば，医師は朝早めに病棟に行って夜勤の看護師から生の情報を確認したり，夜間の看護記録を読み込むことが大いに役に立ちます．

せん妄の予防対策として，担当看護師をなるべく固定することも大切です．それによって患者さんの安心感につながるだけでなく，患者さんの様子の変化に早めに気づくことができます．

●見当識障害・注意障害の評価方法

医療者がせん妄を疑った場合，まずは見当識が保たれているかどうかを確認することが多いようです．見当識の確認は，評価のイントロとしては比較的行いやすいのですが，じつはそれだけでは不十分です．せん妄の患者さんに**見当識障害がみられる割合は，約76％**とされています（表20）．つまり，「見当識は保たれているので，せん妄ではなさそうだ」「見当識障害がなくなったので，せん妄は改善した」といった評価では，せん妄患者さんの4人に1人を見逃してしまう計算になります．

表20 ・ せん妄の症状の出現頻度

せん妄の症状	割合（％）
注意障害	97
睡眠覚醒リズム障害	97
記憶障害	89
見当識障害	76

せん妄の症状	割合（％）
多動	62
幻覚	50
妄想	31

文献14より

せん妄の中核症状は注意障害で，せん妄の患者さんのじつに97％にみられる，最も頻度の高い症状の1つです．したがって，**せん妄を早期発見するためには，注意障害の存在に気づけるかどうかが大きな鍵**となります．

ただし，「せん妄では注意障害が最も多いので，それに気づくことが大切！」と覚えても，注意障害を実臨床でどう評価するのかまで知っておかないと，実際には役に立ちません．例えば，患

者さんが自分から「ぼんやりします」「集中が続きません」などと，わかりやすく教えてくれることはまずありません．そこで，実臨床において，注意障害がどのようなエピソードとなって現れるかについて知っておく必要があります（表21）．

表21 注意障害を評価する際のポイント

■ 観察項目
- 服装がだらしない
- シーツが乱れていたり，物が散乱していても，全く気にしていない
- 周りが気になって食事がすすまない
- ぼんやりしている
- 落ち着きなくソワソワしている
- 複数の医療者がいることに気づいていない
- こちらが話をしている最中でも，視線がよくそれる（テレビを見たり，他の人を見たりする）
- 声をかけてもすぐに返事ができない
- 質問に対する返答が遅い
- 話を聞きながらメモをとることができない
- 些細な言葉の言い間違いや聞き間違えがある
- 話の筋道がそれる
- 訴えに一貫性がない

■ 質問内容
- 「100から7を順番に5回引いてください」→ Serial 7（シリアルセブン）
  ➡すべて正答できるかどうか
- 4桁の逆唱「今から数字を4つ言うので，逆の順番で答えてください」
  ➡正答できるかどうか

（挿管中などで発声が困難な場合）
- 「10個の数字を言うので，「1」と言ったときに，私の手を握ってください」と伝え，次の10個の数字を3秒間隔で読む
  2 3 1 4 5 7 1 9 3 1
  ➡エラーの数が2個以下におさまるか

実践編

せん妄ハイリスク患者さんへの質問のしかたとそのポイント

> 「身体がしんどいと,頭がぼんやりして,日にちや場所がわからなくなったりするので,みなさんにいくつかお尋ねしているのですが,よろしいですか?」

いきなり見当識を確認すると,患者は「自分はまだボケていない!」などと怒ったり,自尊心が傷つきつらくなったりすることがある.そこで,まず身体疾患の治療中にはぼんやりする場合がよくあることを説明し,そのうえですべての人に尋ねている質問であること(おかしくなったと思って個人的に尋ねているわけではない)を伝える.ただし,そのように丁寧に聴いてもはぐらかしたり怒り出したりする場合は,無理に続けず,せん妄の可能性が高いと考えればよい.

> 「今日が何月何日か,すぐに出てきますか?」

自尊心を傷つけないようにするため,「すぐに」という言葉を入れることで,「落ち着いてよく考えればわかるとは思っている」というニュアンスで伝わる.

ここで見当識を誤答すれば,評価は終了でも OK
見当識が正答であれば,次の評価にうつる

> 「では,もう 1 つお尋ねしますね.
> 100 から 7 を,順番に,5 回,引いてみてください.」

せん妄の患者はぼんやりしているため,「何を引くのでしたっけ?」などと聞いてくることがある.その際,「7ですよ」と教えたくなるが,「それも思い出しながら計算をしてください」と返すようにする.前の答えが何だったか,何を引くのだったか,それら複数のことを頭に浮かべながら計算ができるかどうかが注意力の評価に必須である.

100 − 7 の計算を間違えたり,
最後までできなかった場合は,十分フォローする

> 「急に言われると難しいですよね．先ほどお話ししたように，身体がしんどいと頭がぼんやりするので，ふだんのようにスムーズに考えることができなくなるんです．でも，もちろん認知症ということではありませんし，身体がよくなれば頭がぼんやりするのも治りますから，決して心配しないでくださいね．」

日にちがわからなくなったり簡単な計算ができないことに対して，不安やショックを感じる患者は多い．医療者としては，一方的に質問してそれで終わりにするのではなく，患者が抱く感情に配慮し，安心できるような言葉をかけることも忘れないようにしたい．
(文献2を改変して転載)

以上，せん妄ハイリスクの患者さんに対する見当識障害や注意障害の評価方法について，具体的に解説しました．

なお，もともと認知症がある場合は，せん妄を発症していなくてもこれらの質問に誤答する可能性があります．後ほど，せん妄と認知症の鑑別については詳しく述べますが(p114参照)，ポイントの1つは「急性発症かどうか」です．そこで，例えばご家族に「入院前なら，今の質問に正答できたでしょうか？」と尋ねてみて，もし「ふだんだったらできると思います」と返事をされる場合は，見当識障害や注意障害が急性発症ということになるため，せん妄と評価することができます．

●見当識障害・注意障害の評価タイミング

見当識障害や注意障害を評価する目的は，発症前であればスクリーニングであり，発症後ならせん妄が改善しているかどうかを確認するためです．したがって，必ずしも診察のたびに評価を行う必要はありませんし，自尊心に対する十分な配慮が必要です．特に，大部屋などでは他の患者さんに診察内容が聞かれてしまう可能性があるため，注意しておきましょう．

●幻視の評価方法

 せん妄では幻覚をみとめることがありますが,そのほとんどは幻視です.幻視は,「そこにあるはずのないものが見える」という知覚障害の1つですが,患者さんは現実と思いこんでおり,多くの場合,訂正は困難です.ただし,せん妄の患者さんは自ら幻視を訴えないことが多いため,実臨床ではしばしば見逃されています.

> **幻視が見逃される理由**
> **(せん妄の患者さんが幻視を訴えない理由)**
>
> **軽いせん妄の患者**
> 「おかしなものが見えている」という自覚はあるものの,「もし他の人に言ったら,自分がおかしな人と思われるかもしれない」などと考え,あえて言わずに黙っている.
>
> **激しいせん妄の患者**
> 「おかしなものが見えている」という自覚がないか,もしあったとしても「みんなにも見えている」と思いこんでいるため,よほどでない限りわざわざ訴えない.

 このように,「幻視は,患者さん自ら訴えない」ことを前提として,医療者のほうから積極的に確認しましょう(表22).

 せん妄の患者さんに幻視があることがわかった場合,それをターゲットとして,薬物治療やケアに活かすことが重要です.

 薬物治療では,抗幻覚妄想作用の強いリスペリドンが有力な選択肢です.また,ケアについては,「それは幻ですよ」と否定しても訂正困難なことが多く,逆に「この人はわかってくれない」と感じてつらくなり,心を閉ざしてしまうかもしれません.患者さんは幻視に苛まれることで,さまざまな感情を抱えています.そこで,**不安や抑うつなどの感情面にチャンネルを合わせた対応**がポイントです.例えば,「ふだんと違うものが見えると,それだけでも不安になりますよね.でも,われわれがいつも近くにいるので,どうか心配しないでくださいね」などの声掛けが有効です.

表22　幻視を評価する際のポイント

■ 観察項目

- 宙を手で払うような動作をする
- キョロキョロと視線が動く
- 目がうつろである
- 天井や壁を見続けている
- ジッとどこかを見つめているが,視線の先には何もない

■ 質問内容

- 「身体がしんどいときや大きな手術の後には,ふだん見えないものや何か変わったものが見えることがあるのですが,いかがでしょうか?」

  ① 軽いせん妄の患者は,「おかしな人と思われたくない」と考えて幻視を隠していることがあるため,「体調不良の際や術後には幻視が起こりうる」ことを伝えるのがよい.それによって,患者は「幻視があるのは決して自分に限ったことではない」「少なくとも,幻視が起こりうることを,この先生(医療者)は知ってくれている」と考え,正直に話してもらえる.

  ② 激しいせん妄の患者は,「みんなにも見えている」と考えてあえて話さないことがあるため,「**ふだん**なら見えないもの」など,入院前との比較で尋ねると,患者は答えやすくなる.

なお,幻視がせん妄の前駆症状になることもあるため,患者さんがあらかじめ幻視について知っておくことは,せん妄の早期発見・早期介入につながる可能性があります.その際,「もし,ふだん見えないようなものが見えることがあれば,早めに教えてくださいね」などと伝えておくことが重要です.

実践編

③ 他疾患との鑑別を行う

入院前または入院後3日以内（一次予防）

STEP 1 リスク因子の確認

- □ 70歳以上
- □ 脳器質的障害
- □ 認知症
- □ アルコール多飲
- □ せん妄の既往
- □ リスクとなる薬剤（特にBZ受容体作動薬）の使用
- □ 全身麻酔を要する手術後またはその予定があること

STEP 2 せん妄の予防対策

- 患者および家族への説明
- せん妄ハイリスク薬の回避
- 不眠時・不穏時指示
- せん妄予防ケアの立案・実施

入院中（二次予防）

STEP 3 せん妄の早期発見

- ツールを用いた評価
- 臨床的評価
- 他疾患との鑑別

STEP 4 せん妄の治療

原因療法／薬物療法／非薬物療法

図38 STEP 3 せん妄の早期発見 - ③（簡易図）

　すでに述べたように，せん妄ではさまざまな症状がみられます．ただし，まさに十人十色で，患者さんによってその「目立つ」症状が異なります．じつはここに大きな落とし穴があり，その「目立つ」症状と同じ症状がみられる他の疾患と間違えられやすいのです（表23）．他の疾患と間違えて対応を誤ると，せん妄がさらに悪化することがあるため，十分注意が必要です．

　例えば，せん妄の患者さんでも一見不眠が目立つような場合は，一般的な「**不眠症**」とみなされます．そこで睡眠薬（ベンゾジアゼピン受容体作動薬）を安易に投与してしまうと，薬によってせん妄がさらに悪化するのです．

　また，検査のことを忘れていたり病室がわからなくなったりといった記憶障害や見当識障害が目立つ場合は，年のせい，あるい

表23 せん妄と間違えやすい疾患とその対応

せん妄でみられる症状	間違えやすい疾患	誤った対応 ➡すべてせん妄の悪化につながる
不眠	不眠症	睡眠薬（ベンゾジアゼピン受容体作動薬）の投与
記憶障害・見当識障害	認知症/（加齢によるもの）	経過観察
徘徊	認知症	身体拘束
幻覚・妄想	統合失調症	精神科への転棟・転院
不安・焦燥	不安障害	抗不安薬（ベンゾジアゼピン受容体作動薬）の投与
	アカシジア	抗コリン薬の投与
興奮・易怒性	（性格によるもの）	強制退院
活動性低下 (低活動型せん妄)	うつ病	抗うつ薬（抗コリン作用）や抗不安薬（ベンゾジアゼピン受容体作動薬）の投与

は認知症などと考えられてしまうことがあります．実際，せん妄が認知症と間違えられることはきわめて多いのですが，これは絶対に避けねばなりません．「せん妄を認知症と間違っても，治療やケアの内容はほぼ同じだし，特に問題ないのでは？」と考える人がいるかもしれませんが，これは大きな間違いです．認知症は一般的に改善が難しく，原因に対するアプローチは行われません．それに対して，**せん妄は原因をとり除けば治る可能性があり，そこが認知症と決定的に違う点です**．認知症だろうと決めつけてしまうことで，治せるはずのせん妄を見逃さないよう，十分注意しましょう．

その他，幻覚・妄想が目立つ場合は**統合失調症**などと考えられ，精神科への転棟・転院が行われることもあります．そうなると，直接因子の治療が行われないため，せん妄はさらに悪化してしまいます．また，もともと統合失調症の患者さんでは，せん妄になってもそれが「統合失調症の症状の悪化」と考えられやすいため，注

意が必要です.

不安・焦燥が目立つ場合,**不安障害**とみなされ抗不安薬(ベンゾジアゼピン受容体作動薬)が処方されたり,**アカシジア**として抗コリン薬が投与されたりすることによって,いずれもせん妄が悪化する可能性があります.

また,怒りっぽくて暴力が出るような場合は,性格の問題などと判断され,悲しいことに治療半ばで強制的に退院させられるケースもあります.

活動性の低下については,**うつ病**との誤診がよく問題になります.低活動型せん妄(p121 参照)であるにもかかわらずうつ病と判断され,よかれと思って抗うつ薬(抗コリン作用)や抗不安薬(ベンゾジアゼピン受容体作動薬)が投与されることによって,せん妄がさらに悪化してしまうのです.

これらを踏まえると,「せん妄は,他の疾患ときわめて間違えられやすい」ことを,医療者は肝に銘じておく必要があります.そして,他の疾患と間違えないようにするために,**入院して身体治療を受けている患者さんに何らかの精神症状を認めた場合,必ずせん妄の可能性を第一に考えることが大切です.**

● 認知症との鑑別―見分け方と対応

せん妄と認知症は症状が似ているため,実臨床でよく間違えられます.認知症の中核症状のうち,記憶障害(覚えられない)や見当識障害(日にちや場所がわからない),視空間認知障害(見たものの全体像がつかめない)などは,せん妄でもみられやすい症状です.また,認知症の BPSD (Behavioral and Psychological Symptoms of Dementia:行動・心理症状)として,不眠,不安,焦燥,易怒性・興奮,徘徊,アパシー(自発性や意欲の低下)などがあり,せん妄でもやはり同じ症状が現われます.

なお,「認知症」と聞くと,認知症のなかでも最も多い「アルツハイマー型認知症」をイメージする人がほとんどです.実際には,

認知症はアルツハイマー型認知症だけでなく，特に「レビー小体型認知症」（p119 コラム参照）では認知機能の変動や幻視など，アルツハイマー型認知症よりもせん妄と似た症状が多いため，さらに鑑別が難しくなります．

せん妄と認知症の鑑別について，表24 にまとめました．多くの成書で「せん妄と認知症の鑑別」と書かれている場合の認知症は，いわゆる「アルツハイマー型認知症」が想定されています．ただし，実臨床ではアルツハイマー型認知症よりもせん妄とよく似た症状を呈する「レビー小体型認知症」に遭遇することがあります．レビー小体型認知症では，抗精神病薬の投与によって副作用が出やすいことから，これら3つの鑑別についてぜひ知っておきましょう．

表24 せん妄と認知症の鑑別

	せん妄	認知症	
		アルツハイマー型	レビー小体型
発症	急性	緩徐	
経過	一過性のことが多い	慢性進行性	
意識障害	あり	なし	
日内変動	あり（夜間に増悪することが多い）	少ない	あり（1日のなかで変動する）
幻視	あり	少ない	あり

せん妄と認知症の鑑別ポイントは，ひと言で言うと「**急性発症かどうか**」です．認知症は「去年の夏頃から，少しずつ料理の段取りが悪くなってきた」といったように，発症起点が不明瞭で，緩徐に進行するのが一般的です．それに対して，せん妄では「手術の翌日から様子がおかしい」あるいは「昨日の夕方，17時頃から落ち着きがなくなった」のように急性発症が特徴で，発症起点を日にちだけでなく時間まで特定できることもあります．

急性発症かどうかは，ご家族に確認することが重要で，SQiD

(Single Question in Delirium)[15)] というせん妄のスクリーニングツールの質問内容が大いに参考になります．これは，たった1つの質問をするだけでせん妄かどうかが判断できる，きわめて簡便かつ有用な評価ツールです．

> 急性発症かどうかを見分けるためのご家族への質問例：
> SQiD(Single Question in Delirium)
>
> 「最近の○○さん（患者の名前）の様子は，ふだんと比べて混乱していると感じますか？」
>
> (Do you think [name of patient] has been more confused lately ?)

このようにご家族に尋ねてみて，「**ふだんと様子が違う**」という回答であれば急性発症，すなわちせん妄と考えられるため，直ちにせん妄の原因検索や治療，ケアなどを行いましょう．

実臨床では，ご家族から「お父さん（患者さんのこと），急に認知症になったのでしょうか？」などと聞かれることがあります．これは，患者さんがふだんしっかりしているからこそ，ご家族は心配になってこのような質問をしていると考えられるため，質問の内容自体が急性発症であることを教えてくれています．したがって，自信をもって「せん妄と考えられる」旨をお伝えすればよいのです．

ここからは，入院後に徘徊をみとめた高齢の患者さんについて，2つのケースを例にあげて，具体的な評価や対応方法を解説しましょう．

CASE 1

高齢の患者さんが，検査目的で予定入院となりましたが，入院後から徘徊をみとめています．

患者さんが入院して徘徊をみとめた場合，「せん妄」・「BPSD」・

「BPSD＋せん妄」の3つの可能性があります．ただし，このケースのように，検査や教育目的の入院など，身体的に安定した状態で入院した場合はせん妄の直接因子がないため，「BPSD」の可能性が高いと考えられます．したがって，積極的に環境調整やケアの工夫を行うのがよいでしょう．

BPSDとは，認知症の中核症状を基盤として，背景に痛みや便秘などの身体症状があるか，環境変化や周囲の対応などに対して不適応をきたした状態です．例えば，認知症の中核症状として「見当識障害」をみとめており，慣れた自宅では特に問題なくても，入院という環境変化によって部屋がわからなくなり，結果的に徘徊というBPSDにつながるのです．なお，せん妄は意識障害を基盤とした病態であり，BPSDに含まれません．

CASE 2

高齢の患者さんが肺炎になり，緊急入院となりましたが，入院後から徘徊をみとめています．

このケースでは，「せん妄」・「BPSD」・「BPSD＋せん妄」のいずれの可能性も考えられます（図39）．この3つの臨床症状はほぼ同じであるため，その鑑別はきわめて困難です．ただし，実臨床では，「せん妄」または「BPSD＋せん妄」の可能性があるにもかかわらず，特に認知症の診断がついている患者さんでは安易に「BPSD」とされてしまうケースが多く，これは大きな問題です．せん妄は原因をとり除けば治る可能性があるため，見逃しや誤診は絶対に避けねばなりません．

そこで，最も実践的なアプローチとして，このようなケースは**あえて鑑別にこだわらず**，「せん妄」の可能性を考えてせん妄の直接因子を十分調べることです．この理由は，すでに述べたように，**治せるはずのせん妄を見逃さないことが最重要**だからです．

実践編

例 検査による予定入院

① BPSD

検査入院のためせん妄の直接因子はなく，環境への不適応によるBPSDと考えられる

予定入院

例 肺炎による緊急入院

①せん妄

肺炎によるせん妄

② BPSD

環境への不適応によるBPSD

③ BPSD＋せん妄

肺炎によるせん妄と環境への不適応によるBPSDが併存

緊急入院

図39 入院中にみられる徘徊の原因として考えられる病態

＊レビー小体型認知症について

　レビー小体型認知症（Dementia with Lewy Bodies：DLB）は，アルツハイマー型認知症や脳血管性認知症と並んで，わが国における3大認知症の1つとされています．

　表がDLBの診断基準です．DLBの特徴は，進行性の認知機能低下に加えて，注意の著明な変化を伴う認知の変動，くり返し出現する具体的な幻視，パーキンソン症状（動作緩慢，寡動，静止時振戦，筋強剛）など，多彩な症状を呈することです．

　表にも明記されている通り，DLBの患者さんは，抗精神病薬の投与によって重篤な錐体外路症状がみられやすいのが特徴です．したがって，DLBの患者さんにせん妄をみとめた場合，安易な抗精神病薬の投与は避けるべきです．ハロペリドールはDLBに禁忌となっており，またリスペ

表　DLBの診断基準

中核症状（必須）
進行性の認知機能低下により，生活に支障をきたしている

中核的特徴	支持的特徴
1．注意の著明な変化を伴う認知の変動 2．くり返し出現する具体的な幻視 3．レム睡眠行動異常症 4．パーキンソン症状（動作緩慢，寡動，静止時振戦，筋強剛）	1．抗精神病薬への重篤な過敏性 2．姿勢の不安定性 3．くり返す転倒 4．失神または一過性の無反応状態のエピソード 5．高度の自律神経症状（便秘，起立性低血圧，尿失禁など） 6．過眠 7．嗅覚鈍麻 8．幻視以外の幻覚 9．体系化された妄想 10．アパシー，不安，うつ
指標的バイオマーカー	
1．基底核におけるドパミントランスポーターの取り込み低下（SPECT/PET） 2．MIBG心筋シンチでの取り込み低下 3．筋緊張を伴わないレム睡眠（PSG）	

文献1を参考に作成

リドンも非定型抗精神病薬のなかでは比較的錐体外路症状をきたしやすいため,避けたほうがよいと考えられます.抗精神病薬のなかでは,クエチアピンを選択するのがよいでしょう.

ただし,DLBの患者さんであっても,実際にはその診断がついていないだけでなく,アルツハイマー型認知症と誤診されていることも多いようです.さらには,単に「認知症」とだけ診断されているケースも散見されます.したがって,DLBの診断がついていない患者さんや,「アルツハイマー型認知症」あるいは「認知症」と診断されている患者さんでも,DLBを疑ってみる必要があります.特に,実臨床で高齢の患者さんのせん妄に対して抗精神病薬を投与した結果,予想に反して顕著な錐体外路症状や過鎮静などをみとめた場合は,DLBの可能性を考えましょう.

DLBとせん妄はその症状が酷似しており,いずれも認知機能の変動や幻視を呈することがあるため,その鑑別は困難をきわめます.最も有用なのは,患者さんのふだんの様子をよく知るご家族に,入院前と比べて変化があるかどうかを尋ねることです.もし変化がある場合は急性発症と考えられるため,DLBではなくせん妄と考えられます.逆に,ふだんから幻視がある場合や,1日のなかでもはっきりしているときとそうでないときがみられていたケースでは,せん妄よりもDLBの可能性が高いため,薬剤選択については特に慎重な判断が求められます.

参考文献

1) McKeith IG, et al：Diagnosis and management of dementia with Lewy bodies: Fourth consensus report of the DLB Consortium. Neurology, 89：88-100, 2017

●うつ病との鑑別 ―見分け方と対応

1) 低活動型せん妄とうつ病の鑑別

2013年にせん妄の診断基準（DSM-5）[16]が改訂された際，新たに「サブタイプの特定」という項目が追加になり，「**過活動型せん妄**」「**低活動型せん妄**」「**混合型せん妄**」の3つが明記されました（表25）．

表25 せん妄のサブタイプ別の症状

過活動型せん妄	低活動型せん妄	混合型せん妄
不眠 落ち着きがない 早口・大声 易怒性・興奮 暴言・暴力 徘徊	傾眠 口数が少ない 無関心 活動性低下 臥床傾向	両者の症状

せん妄と聞くと，ほとんどの医療者は「過活動型せん妄」をイメージすると思います．ただし，高齢者のせん妄，がん患者さんのせん妄，ICUにおけるせん妄，いずれも過活動型せん妄より低活動型せん妄の方が多いとされています[17]．特にがん患者さんでは，終末期に近づくほど低活動型せん妄の比率が高くなります[18]．にもかかわらず，**実臨床で低活動型せん妄はよく見逃される**ことが知られており，その理由として，以下の3つが考えられます．

低活動型せん妄が見逃されやすい理由

① 医療者も家族も対応に困らないため，放置されてしまう
②「身体が悪いからしんどいのだろう」と誤解されてしまう
③ うつ病と間違われてしまう

では，それぞれの理由について，順に解説していきます．
①対応に困らないため放置されてしまう

過活動型せん妄の場合，徘徊や暴力がみられると，周囲は対応に困ります．それに対して，低活動型せん妄では，終日臥床がちで訴えも少ないため，対応に困ることはほとんどありません．**ただし，低活動型せん妄から回復した患者さんへの調査研究では，強い苦痛体験が語られています**[19]．また，低活動型せん妄が長引くと食事摂取やリハビリテーションが進まなくなり，中・長期的には大きな影響を及ぼします．したがって，「取り急ぎは手がかからない」といった医療者側の都合で放置することなく，早い段階から積極的な介入を行うことが大切です．

②「しんどいのだろう」と誤解されてしまう

低活動型せん妄は，例えば肝性脳症や尿毒症性脳症，低 Na 血症などの代謝性疾患が原因で起こります．つまり，過活動型せん妄と同じように，身体状態が悪い患者さんにみられるのです．したがって，活動性の低下を「身体が悪いのだから，元気が出ないのは当然のこと」と考えられてしまい，見逃しにつながります．

③うつ病と間違われてしまう

低活動型せん妄では，口数が少なくなり，周囲に対して関心を示さなくなるなど，うつ病に似た症状を複数みとめます．医療者は，低活動型せん妄というタイプのせん妄があることを知らない場合が多く，「低活動型せん妄か，それともうつ病か」などと迷うこともなく，安易にうつ病と決めつけてしまうのです．がん患者さんで，「うつ病の疑いがあるので診てほしい」という理由で精神科にコンサルトされるケースは，じつは低活動型せん妄であることがほとんどと言っても決して過言ではありません．そこで，**特にがん患者さんにうつ病を疑った際には，まずは低活動型せん妄の可能性を考えてみることが大切です**．

低活動型せん妄とうつ病に共通する症状

- 口数が少ない
- 無関心
- 活動性低下
- 臥床傾向

低活動型せん妄とうつ病の鑑別点を表26に示します．

表26　低活動型せん妄とうつ病の鑑別

	低活動型せん妄	うつ病
発症・経過	急性	亜急性
日内変動	1日中傾眠か夜間に悪化	午前中不調のことが多い
意識障害	あり	なし
見当識障害	あり	なし
注意障害	あり	なし
幻視	あり	なし
脳波	徐波がみられることがある	正常

　鑑別のポイントは，「発症・経過」に加えて，「見当識障害」や「注意障害」，「幻視」の有無です．

　まず，せん妄は急性発症ですが，うつ病は夜眠れなくなり，だんだん活気がなくなって，やがてベッドから出ようとしなくなるなど，発症・経過は亜急性と考えられます．

　また，低活動型せん妄では，ベッド上で終日臥床し，発語も少ないため，過活動型せん妄のようにつじつまの合わない言動は目立ちません．そこで，一見すると見当識障害などはないように見えたとしても，**活気のない患者さんについては積極的に見当識障害の有無を確認する**ことが大切です．なお，うつ病は意識障害ではないため，季節や月を間違えるなど，見当識が大きくずれることはありえません．

　そして，すでに述べたように，せん妄で最も頻度の高い症状は注意障害です．そこで，Serial 7などを行い，注意障害の有無を

確認しましょう．なお，うつ病では思考抑制をみとめることがあり，「頭が思うように働かない」「集中できない」のような症状はあっても，時間をかければ 100 − 7 の計算は十分正解できます．もし誤答をくり返す場合は，低活動型せん妄と考えましょう．

最後に，幻視についても，すでに述べた通りです．「幻視は患者さん自ら訴えない」ことを前提として，積極的に確認するようにしましょう．

低活動型せん妄とうつ病の鑑別および対応について，フローチャートを示します（図40）．表情が乏しく，活気のない様子が続いている患者さん（認知症がない場合）については，まず急性発症，見当識障害，注意障害，幻視の有無を評価します．そして，そのうち1つでもあれば低活動型せん妄，それらがない場合はうつ病や適応障害（または通常反応）の可能性が高いと考えられます．ただし，低活動型せん妄は症状に変動をみとめることがあり，評価のタイミングによっては一見問題がないように見えてしまう

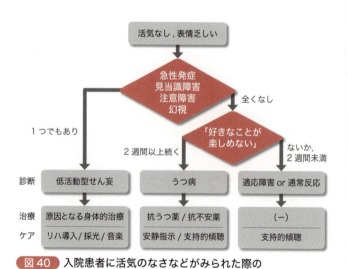

図40 入院患者に活気のなさなどがみられた際の鑑別フローチャート

ため，1日のなかでも複数回評価することが重要です．

低活動型せん妄であるにもかかわらずうつ病と誤診され，抗うつ薬(抗コリン作用)や抗不安薬(ベンゾジアゼピン受容体作動薬)が投与されてしまうことで，せん妄がさらに悪化してしまう可能性があります．また，ケアについても，うつ病と考えてゆっくり休むことを勧めてしまうと，さらなる活動性の低下につながりかねません．このように，**低活動型せん妄とうつ病では治療やケアが大きく異なる**ため，実臨床では両者を正確に鑑別することが大切です．

なお，認知症の患者さんに活気のなさがみられた場合，低活動型せん妄やうつ病のほか，認知症のBPSDの1つである**「アパシー(自発性や意欲の低下)」**の可能性があります．アパシーは，意識障害をみとめないことが低活動型せん妄との違いです．また，うつ病のような抑うつ気分や不安，自責感などがなく，感情の平板化がみられます．ぜひ知っておきましょう．

2) 低活動型せん妄の治療

低活動型せん妄の改善には，その原因を除去することが必要です．したがって，低活動型せん妄の原因を精査し，それに対するアプローチを行います(p142参照)．

低活動型せん妄の薬物療法や非薬物療法(環境調整やケア)の目標は，**「睡眠・覚醒リズムの確立」，すなわち，「夜に深く眠り，日中の覚醒度を上げること」**です．そこで，夜間の睡眠確保を目的として持ち越しの少ない薬剤を投与したり(p168参照)，日中の覚醒度が上がるように環境を整えたりすることが大切です(p188参照)．また，身体状況にもよりますが，**積極的なリハビリテーション**も有効と考えられます．

●アカシジアとの鑑別 ―見分け方と対応

アカシジアは，抗精神病薬や制吐薬などの投与後にみられる副作用の1つです．① 運動症状(足踏みをしたり，絶えず身体の向

きを変えたり，ベッドの周りを歩き回るなど）と，② 精神症状（不安・焦燥など）の両方がみられるため，せん妄とよく間違えられます（表27）．中高年に比較的多いとされており，せん妄の好発年齢と同じであることも鑑別を難しくしている要因です．

表27 アカシジアの具体的な症状

- 足のソワソワとした，または揺らす動き
- 立っているときに，片足ずつ交互にして身体を揺らす
- 落ち着きのなさを和らげるために歩き回る
- 少なくとも数分間，じっと座っていること，または立っていることができない

アカシジアの患者さんは，じっとしていられないことを，必ずしも言葉として訴えるわけではありません．例えば，頻回にトイレに行くようなケースでは，実際には尿意があるのではなく，アカシジアの可能性があります．また，声が出ない患者さんなどで，足をバタバタさせていたり，絶えず組み換えたりしている場合も同様です．したがって実臨床でアカシジアを見逃さないためには，**客観的な運動症状に着目することが重要**です．

アカシジアは，原因となる薬剤の投与開始または増量後数日以内に出現することが多いのですが，メトクロプラミドの1回の使用直後に出現したという報告もあれば，逆に投与開始後数週間経ってから出現することもあります．したがって，アカシジアを起こす可能性のある薬剤（表28）を投与している患者さんでは，常にアカシジアが出る可能性を考え，せん妄と誤診しないように注意する必要があります．

がん患者さんでは，化学療法などに伴って嘔気・嘔吐がみられた際，抗精神病薬であるオランザピンやプロクロルペラジンがしばしば使用されます．また，メトクロプラミドやドンペリドンなども，制吐薬として広く用いられています．これらの薬剤はアカ

表28　アカシジアの原因になりうる薬剤 [20]

種類	代表的な薬剤と商品名
抗精神病薬	・ハロペリドール（セレネース） ・プロクロルペラジン（ノバミン） ・クロルプロマジン（コントミン／ウインタミン） ・レボメプロマジン（ヒルナミン） ・リスペリドン（リスパダール） ・アリピプラゾール（エビリファイ） ・ペロスピロン（ルーラン） ・オランザピン（ジプレキサ） ・クエチアピン（セロクエル） ・スルピリド（ドグマチール） ・チアプリド（グラマリール）など
抗うつ薬	・アミトリプチリン（トリプタノール） ・アモキサピン（アモキサン） ・イミプラミン（トフラニール） ・クロミプラミン（アナフラニール） ・マプロチリン（ルジオミール） ・ミアンセリン（テトラミド） ・スルピリド（ドグマチール） ・トラゾドン（レスリン／デジレル） ・ミルタザピン（リフレックス／レメロン） ・フルボキサミン（ルボックス／デプロメール） ・パロキセチン（パキシル） ・セルトラリン（ジェイゾロフト） ・エスシタロプラム（レクサプロ） ・ミルナシプラン（トレドミン）など
抗てんかん薬 ・気分安定薬	・バルプロ酸（デパケン）など
抗不安薬	・タンドスピロン（セディール）
抗認知症薬	・ドネペジル（アリセプト）など
消化性潰瘍 治療薬	・ラニチジン（ザンタック） ・ファモチジン（ガスター） ・スルピリド（ドグマチール）
消化器用薬	・メトクロプラミド（プリンペラン） ・ドンペリドン（ナウゼリン） ・イトプリド（ガナトン） ・オンダンセトロン（オンダンセトロン） ・モサプリド（ガスモチン）

（次ページに続く）

種類	代表的な薬剤と商品名
抗アレルギー薬	● オキサトミド（オキサトミド）
降圧薬	● マニジピン（カルスロット） ● ジルチアゼム（ヘルベッサー） ● レセルピン（アポプロン） ● メチルドパ（アルドメット）
抗がん剤	● イホスファミド（イホマイド） ● カペシタビン（ゼローダ） ● テガフール（フトラフール） ● フルオロウラシル（5-FU）
その他	● フェンタニル（デュロテップMTパッチ，フェントステープ，ワンデュロパッチ，アブストラル，フェンタニル） ● インターフェロン など

シジアの原因薬剤となるため，特に注意が必要です．また，うつ症状に対してよく用いられるミルタザピンも，アカシジアを起こしやすいことが知られています．

　その他，**せん妄に対して用いられる抗精神病薬も，じつはアカシジアの原因薬剤になることがあります**．したがって，例えばせん妄に対してリスペリドンを投与するも落ち着きのなさが目立ち，投与量が少ないと判断して増量したところさらに不穏が強くなるような場合では，単にせん妄の悪化やリスペリドンの効果が不十分などと捉えるのではなく，リスペリドンによるアカシジアを考慮する必要があります．なお，抗精神病薬によるアカシジアは，パーキンソン症状が出現するよりも少ない量で起こるとされているため，特に注意が必要です．

　アカシジアの治療は，原則として原因薬剤の減量・中止です．抗コリン薬やベンゾジアゼピン受容体作動薬が有効なこともありますが，いずれもせん妄を惹起する薬剤であるため，せん妄の患者さんはもちろん，せん妄ハイリスクの患者さんへの投与は避けるか，または低用量の使用が望ましいと考えられます．

●レストレスレッグス症候群との鑑別 ―見分け方と対応

レストレスレッグス症候群(Restless Legs Syndrome：RLS)は，主に脚に不快な症状を認める病態です．夜間にイライラなどの精神症状がみられることから，せん妄とよく間違えられます．レストレスレッグス症候群では，訴えにバリエーションが多いため，正確な評価が求められます(表29, 30)．

表29 レストレスレッグス症候群診断基準 [21]

A 脚を動かしたくてたまらない衝動と不快感
B 安静時に悪化する
C 脚の運動により不快感が軽減ないし消失する
D 夕方から夜に悪化する

＊3項目に該当→疑い，4項目に該当→確定

表30 レストレスレッグス症候群の訴えのバリエーション

感覚的な訴え		精神的な訴え
● だるい	● ピクピクする	● 落ち着かない
● 痛い	● ムズムズする	● じっとしていられない
● かゆい	● チクチクする	● イライラする
● 焼けるような	● ズキズキする	● つらい
● 冷たい	● ピリピリする	● 不快でたまらない

レストレスレッグス症候群は，「むずむず脚症候群」と和訳されますが，症状が出現するのは決して脚だけではなく，上肢や体幹などさまざまです．また，痛みやだるさなどの感覚的な訴えのほか，「落ち着かない」「じっとしていられない」といった精神的な訴えもみられます．したがって，レストレスレッグス症候群の患者さんは，「"脚"が"ムズムズ"する」などと必ずしもわかりやすく訴えてくれないことを念頭に置き，せん妄やアカシジアとの鑑別も含めて，丁寧に問診を行うことが大切です(表31, 図41)．

実践編

表31 せん妄,アカシジア,レストレスレッグス症候群の鑑別と原因,対応

	せん妄	アカシジア	レストレスレッグス症候群
意識障害	あり	なし	なし
症状出現	夜間	原因薬剤の投与後	夜間
好発年齢	高齢	中高年	なし
家族歴	なし	なし	ありうる
原因	身体疾患や薬剤	薬剤(抗精神病薬,制吐薬など)	特発性と二次性(鉄欠乏性貧血や透析など)
対応	直接因子の除去,抗精神病薬 など	原因薬剤の減量・中止,抗コリン薬,クロナゼパム など	原因の除去,ドパミンアゴニスト,ガバペンチンエナカルビル,クロナゼパム など

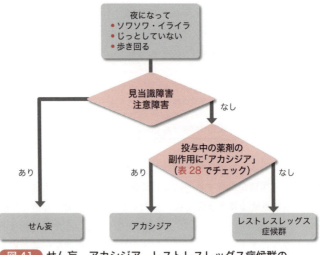

図41 せん妄,アカシジア,レストレスレッグス症候群の鑑別フローチャート

レストレスレッグス症候群の治療では，例えば鉄欠乏性貧血やビタミン B_{12}/葉酸欠乏など，原因があればそれに対するアプローチを行います．また，ドパミンアゴニストが奏効することも多く，薬物治療の効果が期待できるため，その意味でも決して見逃してはいけません．近年になって保険適用のある薬剤が複数上市されていますが，腎機能障害の有無や，代謝・排泄経路などを考慮して，適切な薬剤を選択する必要があります．詳しくは成書を参考にしてください．

●その他

　近年になって，NCSE（Non-Convulsive Status Epilepticus：非けいれん性てんかん重積）とよばれるてんかんが注目されています．NCSEでは，手足のけいれんはみられず，**凝視や反復する瞬目，顔しかめ，口のもぐもぐ，舌なめずり，鼻ぬぐい，顔面や四肢のミオクローヌス，反復言語，保続傾向**といったさまざまな症状をきたします．高齢者にみられやすく，ぼんやりした状態が長時間続いたり，混乱して言動にまとまりをかいたりすることから，せん妄と誤診されやすいのが特徴です．また，てんかんの既往がない患者さんでも起こるため，十分注意が必要です．

　鑑別のポイントは，前述のような症状がみられるかどうかですが，**脳波が診断の決め手になる**ため，精神科や脳神経内科などにコンサルトを行うのがよいでしょう．NCSEでは，ベンゾジアゼピン受容体作動薬を含めた抗てんかん薬による薬物療法が奏効するため，決して見逃さないことが大切です．

　以上，この実践編1章では，せん妄の予防対策について詳しく解説してきました．せん妄予防対策のなかには，マニュアル化したほうが効果的・効率的なものがたくさんあります．それぞれの病院や病棟の実情に沿ったマニュアルを作成し，そのうえで，患者さん個々の状況に合わせたせん妄対策を行うようにしましょう．

せん妄予防対策のまとめ

① マニュアル化しておくことが望ましいもの

シートやテンプレートを作成する
- せん妄ハイリスク患者ケア加算算定のためのフローチャート(p263)
- せん妄リスク因子の評価項目(p32)
- せん妄ハイリスク薬一覧表(p49)
- ベンゾジアゼピン受容体作動薬一覧表(p52)
- ベンゾジアゼピン受容体作動薬を内服している場合の対応フローチャート(p84)
- 不眠・不穏時の標準指示(p168)
- 標準的なせん妄ケア内容(p93)
- スクリーニングツール(p102)
- 薬剤選択フローチャート(p145)　など

パンフレットや文書を作成する
- 患者や家族へのせん妄の説明(p61, 62)
- 保険適用外の薬剤使用に関する説明(p171)　など

② 患者さん個々の状況に合わせた対策

多職種で話し合う(ミニカンファレンス)
- 内服中のベンゾジアゼピン受容体作動薬の減量・中止が可能かどうか?
- 内服中止期間はどのように対応するか?
- アルコール離脱せん妄の予防が必要かどうか?
- 個室か大部屋か?
- 家族の付き添いは必要か?　など

参考文献

1) 「新アルコール・薬物使用障害の診断治療ガイドラインに基づいたアルコール依存症の診断治療の手引き 第1版」(一般社団法人 日本アルコール・アディクション医学会 日本アルコール関連問題学会/編), 2018
https://www.j-arukanren.com/pdf/20190104_shin_al_yakubutsu_guide_tebiki.pdf

2)「勝手にせん妄検定 厳選問題50」(井上真一郎/著), 中外医学社, 2022
3) Hatta K, et al：Preventive Effects of Suvorexant on Delirium: A Randomized Placebo-Controlled Trial. J Clin Psychiatry, 78：e970-e979, 2017
4) 岸 太郎, 他：睡眠薬の効果的な使い分け. 精神科, 38：626-634, 2021
5) Hatta K, et al：Preventive effects of ramelteon on delirium: a randomized placebo-controlled trial. JAMA Psychiatry, 71：397-403, 2014
6) Rickels K, et al：Psychomotor performance of long-term benzodiazepine users before, during, and after benzodiazepine discontinuation. J Clin Psychopharmacol, 19：107-113, 1999
7)「臨床精神神経薬理学テキスト 改訂第3版」(日本臨床精神神経薬理学会専門医制度委員会/編), p490-491, 星和書店, 2014
8)「パーキンソン病診療ガイドライン2018」(日本神経学会/監,「パーキンソン病診療ガイドライン」作成委員会/編), p164-165, 医学書院, 2018
9) Inouye SK, et al：Nurses' recognition of delirium and its symptoms: comparison of nurse and researcher ratings. Arch Intern Med, 161：2467-2473, 2001
10) 渡邉 明：The Confusion Assessment Method (CAM) 日本語版の妥当性. 総合病院精神医学, 25：165-170, 2013
11) 町田いづみ, 他：せん妄スクリーニング・ツール (DST) の作成. 総合病院精神医学, 15：150-155, 2003
12) Critical Illness, Brain dysfunction, and Survivorship (CIBS) Center：ICUにおけるせん妄評価法 (CAM-ICU) トレーニング・マニュアル：
https://www.icudelirium.org/medical-professionals/downloads/resource-language-translations
13) Bergeron N, et al：Intensive Care Delirium Screening Checklist: evaluation of a new screening tool. Intensive Care Med, 27：859-864, 2001
14) Meagher DJ, et al：Phenomenology of delirium. Assessment of 100 adult cases using standardised measures. Br J Psychiatry, 190：135-141, 2007
15) Sands MB, et al：Single Question in Delirium (SQiD)：testing its efficacy against psychiatrist interview, the Confusion Assessment Method and the Memorial Delirium Assessment Scale. Palliat Med, 24：561-565, 2010
16)「Diagnostic and Statistical Manual of Mental Disorders, 5th ed (DSM-5)」(American Psychiatric Association), American Psychiatric Publishing, 2013
17) Meagher D：Motor subtypes of delirium: past, present and future. Int Rev Psychiatry, 21：59-73, 2009
18) Hosie A, et al：Delirium prevalence, incidence, and implications for screening in specialist palliative care inpatient settings: a systematic review. Palliat Med, 27：486-498, 2013
19) Bruera E, et al：Impact of delirium and recall on the level of distress in patients with advanced cancer and their family caregivers. Cancer, 115：2004-2012, 2009
20) 堀口 淳 他：重篤副作用疾患別対応マニュアル-アカシジア. 厚生労働省, 2010
https://www.mhlw.go.jp/topics/2006/11/dl/tp1122-1j09.pdf
21) Allen RP, et al：Restless legs syndrome: diagnostic criteria, special considerations, and epidemiology. A report from the restless legs syndrome diagnosis and epidemiology workshop at the National Institutes of Health. Sleep Med, 4：101-119, 2003

実践編

2章 せん妄に対する治療的介入

入院前または入院後3日以内（一次予防）

STEP 1　リスク因子の確認

- ☐ 70歳以上
- ☐ 脳器質的障害
- ☐ 認知症
- ☐ アルコール多飲
- ☐ せん妄の既往
- ☐ リスクとなる薬剤（特にBZ受容体作動薬）の使用
- ☐ 全身麻酔を要する手術後またはその予定があること

STEP 2　せん妄の予防対策

- 患者および家族への説明
- 不眠時・不穏時指示
- せん妄ハイリスク薬（BZ受容体作動薬）の減量・中止・変更／使用回避
- せん妄予防ケアの立案・実施

入院中（二次予防）

STEP 3　せん妄の早期発見

- ツールを用いた評価
- 臨床的評価
- 他疾患との鑑別（認知症／うつ病／アカシジア／RLS）

STEP 4　せん妄の治療

- 原因療法
- 薬物療法
- 非薬物療法

図1 STEP 4 せん妄の治療

患者さんがせん妄を発症したら，直ちに予防的介入から治療的介入に切り替えます（図1 STEP 4）．この2章では，せん妄に対する治療的介入について，薬剤の処方例なども含めて具体的に解説します．

まず，せん妄に対する治療的介入とは，次の3つです．

① **原因療法**（身体疾患の精査・治療，原因薬剤の中止）
② **薬物療法**（主に抗精神病薬）
③ **非薬物療法**（身体管理，環境調整，コミュニケーション）

せん妄を発症した患者さんにかかわる際には，この3本柱を常に意識する必要があります（図2）．

図2 せん妄に対する治療的介入

STEP 4　1：原因療法

① 身体疾患の精査・治療，原因薬剤の中止

患者さんがせん妄を発症した場合，**直接因子の精査(調べる)→特定(見つける)→除去(取り除く)** というプロセスを行います．本書では，これを「原因療法」とよびます．

その際，直接因子となりうる代表的な身体疾患(表1)や薬剤(表2)を知っておくことで，身体的な精査や薬剤の見直しをより効率的に行うことが可能となります．なお，手術やアルコール離脱が直接因子となる場合については，応用編で詳しく解説します．

表1のように，さまざまな身体疾患がせん妄の直接因子となります．さらに，複数の直接因子が重なっている場合も多いため，幅広く精査することが重要です．具体的な検査項目については，表3を参考にしてください．なお，一見するとせん妄の原因となる身体疾患がなさそうにみえても，精査によってはじめて直接

表1　せん妄の直接因子(身体疾患)

中枢性疾患	● 脳血管障害（脳出血・脳梗塞など） ● 頭部外傷（脳挫傷・硬膜下血腫など） ● 脳腫瘍 ● 感染症（脳炎・髄膜炎・神経梅毒・HIV脳症など）
全身性疾患	● 感染症（敗血症など） ● 代謝性疾患（血糖異常・電解質異常・肝不全・腎不全・ビタミン欠乏症など） ● 内分泌疾患（甲状腺疾患・副甲状腺疾患など） ● 循環器疾患（心筋梗塞・不整脈・心不全など） ● 呼吸器疾患（呼吸不全など） ● 血液疾患（貧血・DICなど） ● 重度外傷・重度熱傷 ● 悪性腫瘍および腫瘍随伴症候群

表2　せん妄の直接因子（薬剤）（再掲）

*太字は，ACBやARSで特に高リスクとされている抗コリン薬

種類		代表的な薬剤と商品名
抗コリン作用のある薬剤	抗コリン薬	・ビペリデン（アキネトン） ・トリヘキシフェニジル（アーテン） ・アトロピン（アトロピン） ・ブチルスコポラミン（ブスコパン）　など
	抗ヒスタミン薬 （H₂ブロッカー含む）	・ジフェンヒドラミン（レスタミン） ・クロルフェニラミン（ポララミン） ・シプロヘプタジン（ペリアクチン） ・ヒドロキシジン（アタラックス-P） ・プロメタジン（ピレチア／ヒベルナ） ・シメチジン（タガメット） ・ファモチジン（ガスター） ・ラフチジン（プロテカジン）　など
	抗うつ薬 （特に三環系抗うつ薬）	・アミトリプチリン（トリプタノール） ・イミプラミン（トフラニール） ・クロミプラミン（アナフラニール） ・アモキサピン（アモキサン） ・パロキセチン（パキシル） ・ミルタザピン（リフレックス）　など
	抗精神病薬 （特にフェノチアジン系抗精神病薬）	・クロルプロマジン（コントミン／ウインタミン） ・レボメプロマジン（ヒルナミン） ・ペルフェナジン（ピーゼットシー） ・オランザピン（ジプレキサ） ・クロザピン（クロザリル）　など
	頻尿治療薬	・オキシブチニン（ポラキス） ・プロピベリン（バップフォー）　など
ベンゾジアゼピン受容体作動薬		・トリアゾラム（ハルシオン） ・エチゾラム（デパス） ・ブロチゾラム（レンドルミン） ・フルニトラゼパム（サイレース） ・ゾルピデム（マイスリー） ・ゾピクロン（アモバン） ・ジアゼパム（セルシン／ホリゾン） ・アルプラゾラム（ソラナックス／コンスタン） 　など

（次ページに続く）

種類	代表的な薬剤と商品名
抗パーキンソン病薬	・レボドパ（メネシット／ドパストン） ・カベルゴリン（カバサール） ・プラミペキソール（ビ・シフロール） ・ブロモクリプチン（パーロデル） ・ペルゴリド（ペルマックス） ・ロピニロール（レキップ） ・アマンタジン（シンメトレル）　など
気分安定薬	・炭酸リチウム（リーマス）
抗てんかん薬	・フェニトイン（アレビアチン） ・カルバマゼピン（テグレトール） ・バルプロ酸（デパケン） ・ゾニサミド（エクセグラン）　など
循環器系薬 （降圧薬，抗不整脈薬など）	・ジゴキシン（ジゴキシン） ・プロカインアミド（アミサリン） ・ジソピラミド（リスモダン） ・リドカイン（キシロカイン） ・クロニジン（カタプレス） ・プロプラノロール（インデラル）　など
鎮痛薬 （麻薬性および非麻薬性）	・ナプロキセン（ナイキサン） ・トラマドール（トラマール／トラムセット），モルヒネ（オプソ／MSコンチン／モルペス／アンペック／モルヒネ），オキシコドン（オキシコンチン／オキノーム／オキファスト），フェンタニル（デュロテップMTパッチ／フェントステープ／ワンデュロパッチ／アブストラル／フェンタニル）　など
副腎皮質ステロイド	・プレドニゾロン（プレドニン） ・デキサメタゾン（デカドロン） ・ベタメタゾン（リンデロン）
気管支拡張薬	・テオフィリン（テオドール） ・アミノフィリン（ネオフィリン）
免疫抑制薬	・メトトレキサート（メソトレキセート）など
抗菌薬	・セフェピム（マキシピーム） ・メトロニダゾール（フラジール／アネメトロ） など
抗ウイルス薬	・アシクロビル　・インターフェロン
抗がん剤	・フルオロウラシル（5-FU）　など

表3 せん妄を発症した際の検査項目

■ **最低限！**
- 血液検査
  CBC（特に WBC, RBC・Hb・Ht），CRP, 肝機能, 腎機能, 電解質（Na, Ca, Mg），Alb, 血糖値, アンモニア※, ビタミン類（ビタミン B_1, B_{12}），TSH・fT3・fT4
- 頭部 CT または MRI

■ **必要に応じて**
- 血液ガス
- 髄液検査
- 脳波 など

※肝機能障害がある場合など

因子に気づくことがあります．つまり，**せん妄が見かけ上先行することがある**ため，せん妄を発症した際には改めて十分な精査を行う必要があります．

また，実臨床では，薬剤性のせん妄がきわめて多くみられます．ただし，薬剤を投与または増量した時点では，せん妄の発症リスクが認識されていないこともあります．したがって，せん妄がみられた際には，**せん妄を発症した時期かその少し前に開始・増量された薬剤**をピックアップし，表2や各薬剤の添付文書などを参考にしながら，せん妄の原因となっていないかどうかについて検討する必要があります．

② 特に注意すべき直接因子

●電解質異常

電解質異常として，**低 Na 血症，高 Ca 血症，低 Mg 血症**などが原因でせん妄をみとめることがあるため，せん妄発症の際には忘れずにチェックしておきましょう．

まず，低 Na 血症によるせん妄は，実臨床でよくみられます．低 Na 血症は，腎不全や嘔吐・下痢など，さまざまな原因で起こりますが，薬剤性 SIADH（syndrome of inappropriate secretion of antidiuretic hormone：バソプレシン分泌過剰症）によって低

Naがみられることがあるため，投与中の薬剤を見直すことも必要です（表4）．ただし，急速にNa値を補正すると，ODS（Osmotic Demyelination Syndrome：浸透圧性脱髄症候群）をきたし，四肢麻痺や痙攣だけでなく，重症化すると死亡に至るため，十分注意しましょう．

表4 低Naの原因となる身体疾患および薬剤

心不全，腎不全，肝硬変，ネフローゼ症候群
SIADH（バソプレシン分泌過剰症），甲状腺機能低下症，
副腎不全，多飲，嘔吐・下痢，熱傷，腹膜炎，膵炎，腎疾患，薬剤性（利尿薬，抗うつ薬，抗精神病薬，抗てんかん薬，抗悪性腫瘍薬，麻薬など）

次に，がん患者さんのせん妄では，骨転移などによって高Ca血症をきたすことがあり，それがせん妄の原因になっていることがあります．**高Ca血症によるせん妄は治療可能性が比較的高い**ため，決して見逃さないことが大切です．ただし，実臨床では，せん妄を発症しているにもかかわらず，Ca値が測定されていないことがよくあります．したがって，せん妄の患者さんの血液検査を行う際には**必ずCaを検査項目に入れておくとともに，Ca値はPayneの式で補正して評価する必要があるため，Alb値もあわせて測定しておきましょう．**

Payneの式（補正式）

（実際のCa値）＝（測定されたCa値）＋（4－Alb値）

最後に，決して頻度は高くありませんが，低Mg血症もせん妄の原因になることがあるため，念のため検査項目に入れておくのがよいでしょう．

●ビタミンB_1欠乏

ビタミンB_1欠乏は，せん妄をきたすだけでなく，ウェルニッ

ケ脳症を発症する可能性があります．**体内のビタミン B_1 はその摂取が中断されると，約3週間で枯渇する**ことが知られています．したがって，ビタミン B_1 欠乏は，**アルコール多飲**のほか，**栄養不良状態や胃・十二指腸切除既往**のある患者さんで特に注意が必要です．また，がんの終末期などでは食事摂取が困難となることから，ビタミン B_1 欠乏によるせん妄やウェルニッケ脳症をきたすことがあります．ビタミン B_1 はルーチンで検査項目に入れにくいのですが，これらの患者さんではむしろ積極的に検査しておきましょう．

また，**ウェルニッケ脳症**は，**意識障害，眼球運動障害，失調性歩行**を3徴としますが，すべての症状が揃うのは20%弱とされています[1]．そこで，Caine が提唱した診断基準（「食事摂取不足」「眼球運動障害」「小脳失調」「意識変容または軽度の記憶障害」の4項目中2つ以上該当で陽性）は感度85%，特異度100%と報告されており[2]，大いに参考となります．もし疑わしい場合は，早期からのビタミン B_1 投与を検討するようにしましょう．

●高アンモニア血症

劇症肝炎や肝硬変，特発性門脈圧亢進症など，重度の肝機能障害をみとめる患者さんでは，アンモニア値が上がり，肝性脳症によってせん妄を起こすことがあります．肝性脳症では，羽ばたき振戦（両手を広げた状態で腕を伸ばし，手の甲が自分のほうを向くように手の関節を曲げると，手の関節や指先が羽ばたくように揺れ動く）をみとめることがあり，疑わしい場合は確認しておきましょう．また，てんかんや気分障害などの治療に用いられるバルプロ酸は，肝機能障害を伴わずに高アンモニア血症をきたすことがあり，決して多くはないもののせん妄の原因となる可能性があることを知っておきましょう．なお，肝不全などでは，アンモニア値がせん妄の重症度の指標と考えられがちですが，必ずしも相関しないケースが散見されます．実臨床では，アンモニア値が

正常範囲内であってもアンモニアによるせん妄がみられる場合もあるため，十分注意が必要です．

その他，一般的な血液検査や画像検査を行っても直接因子が明確でない場合は，やや特殊な病態として，**傍腫瘍性神経症候群**や橋本脳症などの**自己免疫性脳炎・脳症**の可能性があるため，それぞれ特異的な検査が必要です．脳神経内科の先生にコンサルトするか，詳しくは成書を参考にしてください．

③ 低活動型せん妄

低活動型せん妄の原因は，電解質異常や貧血，肝性脳症，尿毒症性脳症，ベンゾジアゼピン受容体作動薬などが多いとされています．また，がんの患者さんで，痛みに対してオピオイドを開始・増量した際，傾眠を認めることがあります．そのようなケースでは，オピオイドによる眠気と考えられがちですが，じつは低活動型せん妄のこともあるため，十分注意が必要です．

以上より，低活動型せん妄を疑った場合，Na 値や Hb 値，肝機能，腎機能，アンモニア値のほか，薬剤についても確実にチェックしておきましょう．

STEP 4　2：薬物療法

すでに述べたように，薬物療法がせん妄を治すのではなく，せん妄の根本的な治療は直接因子の除去です．ただし，不眠や不穏などが顕著となったり，長く続いたりすることで入院治療に大きな支障をきたすため，それらの症状をマネジメントする目的で薬物療法を行います．

せん妄に対する薬物療法の5原則

- 鎮静系抗うつ薬または抗精神病薬を用いる
- 単剤で調整する
- 定期薬は夕食後に投与する
- 少量から開始し，必ず十分量まで増量したうえで効果判定を行う
- 複数の薬を併用する場合は薬理作用の違うものを選択する

せん妄に対する薬物療法には，上に示す5つの原則があります．

まず，薬剤としては，**鎮静系抗うつ薬または抗精神病薬**を用います．ここでいう鎮静系抗うつ薬とは，トラゾドンやミアンセリンのことです．また，抗精神病薬については，クエチアピンやリスペリドン，ペロスピロン，ハロペリドール，アセナピンなどを指します．

次に，使用する薬剤は，**できるだけ単剤**にすべきです．実臨床では，「スボレキサント＋トラゾドン」のように，複数の薬剤が同時に開始されることがあります．それでうまくいけばよいのですが，もし効かなかったり効き過ぎたりした場合，どちらの薬剤が問題だったのかがわかりません．そこで，原則として，単剤での調整を心がけましょう．

また，せん妄は「夜間せん妄」と呼ばれるものの，夕方頃から落ち着きのない様子がみられはじめるため，定時薬は眠前ではなく**夕食後に投与**しましょう．

そして，少量から開始し，十分量まで増量することがきわめて重要なのですが，実際には「トラゾドン50 mgを投与したものの効果が乏しい」などのように，増量の余地が十分あるにもかかわらず，他の薬剤に変更されるケースも多いようです．低用量では薬効の評価が難しく，高用量でこそ効果を発揮する場合もあるため，**必ず増量したうえで効果を判定**しましょう．なお，少量から開始する主な理由は，薬剤の副作用を最小限にするためです．せ

ん妄は，身体状態の悪い患者さんにみられます．したがって，薬剤の副作用が出やすいと考えられるため，十分注意が必要です．

最後に，「スボレキサント＋レンボレキサント」や「リスペリドン＋ペロスピロン」のように，薬理作用の似た複数の薬剤が併用されることがあります．やむを得ず**複数の薬剤を併用する場合は，できるだけ薬理作用の違うものを選択**しましょう．

せん妄の薬物療法では，どの症状をターゲットにするか（「興奮」であれば鎮静作用の強い薬，「幻覚・妄想」であれば抗幻覚妄想作用の強い薬）だけでなく，せん妄のサブタイプ，せん妄の重症度，投与経路，身体合併症，禁忌や相互作用，代謝・排泄経路などを考慮したうえで薬剤を選択し（**図3①**），年齢や体格，身体的重症度や臓器障害などを参考に用量を決定します（**②**）．また，症状の出現時間に合わせて定時薬（いつ飲むか）および頓服薬（どれくらい間隔をあけるか／何時まで飲んでよいか）の投与時間を決めます（**③**）．そのうえで，投与初期はこまめに薬剤の効果や副作用を評価し（**④**），必要に応じて処方内容の再調整を行います（**⑤**）．実臨床では，せん妄の症状が落ち着くまで，このプロセスをくり返すことになります．

症状が改善するまで，このプロセスを繰り返す

処方・投与

①薬剤を選択する
- ターゲットとする症状
- せん妄のサブタイプ
- せん妄の重症度
- 投与経路
- 身体合併症
- 禁忌，相互作用
- 代謝・排泄経路

②用量を決める（頓用含む）
- 年齢　・体格
- 身体的重症度
- 臓器障害

③投与時間を決める
- 症状の出現時間

④評価する
- 効果　・副作用

⑤処方内容を再調整する
- 定時薬　・頓服

図3 薬物治療の流れ

では，このプロセスに沿って解説していきましょう．

① 薬剤を選択する

まず，過活動型せん妄発症時における，薬剤選択のフローチャートを示します（図4）．

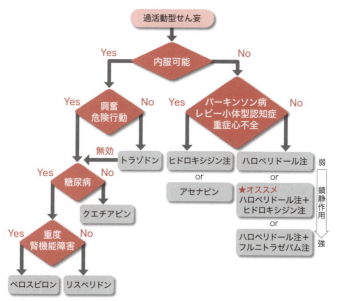

図4　過活動型せん妄発症時の薬剤選択フローチャート

このように，せん妄の薬物療法では，鎮静系抗うつ薬（トラゾドン）や抗精神病薬（クエチアピン，リスペリドン，ペロスピロン，ハロペリドール，アセナピン）などを用います．また，抗ヒスタミン薬（ヒドロキシジン）を使用することもあります．なお，ベンゾジアゼピン受容体作動薬は，せん妄を惹起するリスクがあるため，原則として用いるべきではありません．ただし，次のような場合は例外的に使用することがあるため，あわせて確認しておきましょう．

実践編

せん妄でベンゾジアゼピン受容体作動薬を使う場面

① **興奮が強いせん妄で,抗精神病薬単独では十分な鎮静効果が得られない場合**
  ➡ベンゾジアゼピン受容体作動薬の単独使用は避ける
  ➡内服薬では,例えばリスペリドンとエスゾピクロンを併用する
  ➡注射薬では,例えばハロペリドールとフルニトラゼパムを併用する

② **アルコール離脱せん妄(予防を含む)**
  ➡ジアゼパムを単独で用いる
  ➡肝機能障害が高度の場合は,ロラゼパムを用いる

③ **緩和領域でのせん妄(主に不可逆性せん妄)**
  ➡間欠的な鎮静の場合,ハロペリドールとフルニトラゼパム(またはミダゾラム)を併用する
  ➡持続的な鎮静の場合,ミダゾラムを単独で十分量用いる

表5 せん妄で使う薬剤のまとめ

	分類	一般名(商品名)	投与量の目安	鎮静作用	抗幻覚妄想作用
内服薬	鎮静系抗うつ薬	トラゾドン(レスリン,デジレル)	25〜150 mg	○〜△	×
		ミアンセリン(テトラミド)	10〜60 mg	○〜△	×
	非定型抗精神病薬	クエチアピン※(セロクエル)	25〜150 mg	◎	△

※せん妄に対する適用外使用について,クエチアピン,リスペリドン,ハロペリドール,ペロスピロンの4剤は審査上認められている

また，患者さんがせん妄を発症した際，医師は定時薬だけでなく，頓服薬の指示を出すようにしましょう．ただし，頓服指示については，【不眠・不穏時】とするのではなく，臨床現場で使い方を迷うことがないように，【不眠時】（眠れていない場合）と【不穏時】（せん妄の症状が顕著な場合）に分けて指示を出し，【不穏時】のほうは【不眠時】に比べて用量を増やすか，より鎮静作用の強い薬にするのがよいと思われます．

　せん妄で使う薬剤は，表5の通りです．ここからは，「内服が可能な場合」と「内服が不可能な場合」に分けて解説し，また「日中の不穏」および「低活動型せん妄」の薬物療法についても具体的に述べます．

特徴
● 鎮静作用は軽度～中等度　➡興奮が少ない患者に有効／十分な増量が必要 ● 用量幅が広い　➡単剤で調整しやすい ● 半減期が短い　➡持ち越しが少ない ● 筋弛緩作用が弱い　➡転倒のリスクが少ない
● 鎮静作用は軽度～中等度　➡興奮が少ない患者に有効／十分な増量が必要 ● トラゾドンに比べると，半減期がやや長い　➡持ち越しの懸念がある／早朝覚醒をカバーできる ● 筋弛緩作用が弱い　➡転倒のリスクが少ない
● 鎮静作用が強い　➡不穏が強い患者に有効 ● 用量幅が広い　➡単剤で調整しやすい ● 半減期が短い　➡持ち越しが少ない ● パーキンソン症状がきわめて少ない　➡パーキンソン病やレビー小体型認知症の患者に有用 ● 糖尿病に禁忌　➡投与前に要確認

（次ページに続く）

実践編

分類		一般名 (商品名)	投与量の目安	鎮静作用	抗幻覚妄想作用
内服薬	非定型抗精神病薬	リスペリドン※ (リスパダール)	0.5〜3 mg	○〜△	◎
		ペロスピロン※ (ルーラン)	4〜28 mg	△	◎
		オランザピン (ジプレキサ)	2.5〜10 mg	◎	◎
		アセナピン (シクレスト)	5〜20 mg	○	◎
		ブロナンセリン (ロナセン)	4〜12 mg	×	◎
		アリピプラゾール (エビリファイ)	3〜12 mg	×	◎
	定型抗精神病薬	チアプリド (グラマリール)	25〜150 mg	△	△

※せん妄に対する適用外使用について、クエチアピン、リスペリドン、ハロペリドール、ペロスピロンの4剤は審査上認められている

特徴
● 抗幻覚妄想作用が強い　➡幻覚妄想が強い患者に有効 ● 鎮静作用は軽度〜中等度　➡副作用に注意しながら増量 ● 液剤がある　➡拒薬の患者に有用（お茶への混入は NG） ● 液剤は効果発現が早い　➡頓服で有効 ● 腎排泄　➡腎機能が悪い場合は効果が遷延するため，低用量から開始
● 抗幻覚妄想作用が強い　➡幻覚妄想が強い患者に有効 ● 鎮静作用は弱い　➡強い興奮には不向き／過鎮静を避けたい患者に有用 ● 半減期が短い　➡持ち越しが少ない ● 糖尿病や腎機能障害でも使用可能　➡クエチアピンやリスペリドンが使えない患者に有用
● 抗幻覚妄想作用が強い　➡幻覚妄想が強い患者に有効 ● 鎮静作用が強い　➡不穏が強い患者に有効 ● 半減期が長い　➡持ち越しが多い／逆に日中も不穏が強い場合は有効 ● 口腔内崩壊錠がある　➡内服不可の患者に有用 ● 制吐作用がある　➡すでに内服している場合は増量などを検討 ● 糖尿病に禁忌　➡投与前に要確認 ● 抗コリン作用が比較的強い　➡せん妄悪化の可能性に注意
● 抗幻覚妄想作用が強い　➡幻覚妄想が強い患者に有効 ● 鎮静作用は中等度　➡副作用に注意しながら増量 ● 舌下錠で，舌上やバッカルでも吸収　➡内服不可の患者に有用 ● 糖尿病や腎機能障害でも使用可能　➡クエチアピンやリスペリドンが使えない患者に有用 ● 投与時に苦みを感じることがある　➡投与前に説明／投与後に要評価 ● 投与後 10 分間は飲食禁止　➡カルテに要記載
● 抗幻覚妄想作用が強い　➡幻覚妄想が強い患者に有効 ● 鎮静効果はきわめて弱い　➡強い興奮には不向き／過鎮静を避けたい患者に有用
● 抗幻覚妄想作用が強い　➡幻覚妄想が強い患者に有効 ● 鎮静作用はきわめて弱い　➡強い興奮には不向き／過鎮静を避けたい患者に有用 ● アカシジアのリスクが比較的高い　➡投与後に要評価
● 唯一，せん妄に保険適用をもつ　➡ただし，あくまでも「脳梗塞後遺症に伴うせん妄」 ● 鎮静作用は弱い　➡強い興奮には不向き／過鎮静を避けたい患者に有用 ● 腎排泄　➡腎機能が悪い場合は効果が遷延するため，低用量から開始

（次ページに続く）

実践編

	分類	一般名（商品名）	投与量の目安	鎮静作用	抗幻覚妄想作用
内服薬	定型抗精神病薬	クロルプロマジン（コントミン，ウインタミン）	12.5～150 mg	◎	○～△
内服薬	漢方薬	抑肝散	2.5～7.5 g	△	×
内服薬	気分安定薬	バルプロ酸（デパケン）	200～600 mg	◎～○	×
注射薬	定型抗精神病薬	ハロペリドール※（セレネース）	1/4～3 A（1.25～15 mg）	○～△	◎
注射薬	ベンゾジアゼピン受容体作動薬	フルニトラゼパム（サイレース）	1/4～2 A（0.5～4 mg）	◎	×
注射薬	抗ヒスタミン薬	ヒドロキシジン（アタラックス-P）	1～4A（25～100 mg）	○～△	×
貼付剤	非定型抗精神病薬	ブロナンセリン（ロナセンテープ）	20～80 mg	×	◎

※せん妄に対する適用外使用について，クエチアピン，リスペリドン，ハロペリドール，ペロスピロンの4剤は審査上認められている

特徴
● 鎮静作用が強い　➡不穏が強い患者に有効 ● 半減期が長い　➡持ち越しがきわめて多い ● 抗コリン作用が比較的強い　➡せん妄悪化の可能性に注意 ● 血圧低下のリスクがある　➡投与後に要評価
● 鎮静作用は弱い　➡強い興奮には不向き／過鎮静を避けたい患者に有用 ● 低K血症に注意　➡血液検査で要確認
● 鎮静作用が強い　➡徐放剤よりも錠剤の方が効果は強く，かつ効果発現も速い ● 肝障害のリスクがある　➡投与後に要評価 ● 高アンモニア血症のリスクがある　➡投与後に要評価（肝機能障害を伴わないことがある） ● 頭部外傷など，痙攣閾値が低下している患者に用いられる　➡すでに内服中のことがある
● 抗幻覚妄想作用が強い　➡幻覚妄想が強い患者に有効 ● 鎮静作用は軽度～中等度　➡副作用に注意しながら増量 ● 筋注に比べて静注は錐体外路症状が少ない　➡日中にラインを確保する ● 抗コリン作用は比較的少ない　➡イレウスの患者に有用 ● パーキンソン病／重症心不全／レビー小体型認知症に禁忌　➡投与前に要確認
● 原則単剤では使わず（せん妄悪化のリスク），抗精神病薬と併用する　➡アルコール離脱せん妄や終末期の持続鎮静などでは単剤で用いる ● 鎮静作用はきわめて強い　➡不穏が強い患者に有効 ● 呼吸抑制のリスクに十分注意する必要がある　➡呼吸状態の悪い患者には投与しない／投与前に人工呼吸のできる器具や救急蘇生薬，フルマゼニルなどを準備しておき，パルスオキシメーターや血圧計などで継続的にモニタリングを行う
● 原則単剤では使わず（せん妄悪化のリスク），抗精神病薬と併用する　➡内服不可でハロペリドールが使えない場合は単剤で用いる ● 鎮静作用は軽度～中等度　➡十分な増量が必要 ● 呼吸抑制のリスクはない　➡十分な増量が可能
● 抗精神病薬唯一の貼付剤である　➡内服不可の患者に有用 ● 抗幻覚妄想作用が強い　➡幻覚妄想が強い患者に有効 ● 鎮静効果はきわめて弱い　➡強い興奮には不向き／過鎮静を避けたい患者に有用 ● 効果発現に日数がかかる　➡頓用には不向き

なお、抗精神病薬の用量の目安として、クロルプロマジン 100 mg を基準とした等価換算表(表6)を知っておくと便利です。例えば、せん妄の患者さんに対するリスペリドンの用量について、本書では 0.5 〜 3 mg としていますが、等価換算表では、「リスペリドン 1 mg」と「クエチアピン 66 mg」が等価となっています。したがって、リスペリドン 0.5 mg はクエチアピン 33 mg、リスペリドン 3 mg はクエチアピン 198 mg となり、本書で示すクエチアピンの用量「25 〜 150 mg」とおおむね一致します。

表6 抗精神病薬の等価換算表

一般名	代表的な商品名	
クロルプロマジン	コントミン、ウインタミン	100 (基準)
レボメプロマジン	ヒルナミン	100
クエチアピン	セロクエル	66
リスペリドン	リスパダール	1
ペロスピロン	ルーラン	8
オランザピン	ジプレキサ	2.5
アセナピン	シクレスト	2.5
ブロナンセリン	ロナセン	4
ブロナンセリンテープ	ロナセンテープ	20
アリピプラゾール	エビリファイ	4
チアプリド	グラマリール	100
ハロペリドール	セレネース	2

文献3より引用

●内服が可能な場合

1)興奮が少ない過活動型せん妄

せん妄の薬物療法においては、内服が可能であれば、**原則として内服薬**を用います。

まず、興奮が少ない過活動型せん妄(ベッド上ゴソゴソ程度)では、**トラゾドン**が有用です。トラゾドンは、抗うつ薬ですが抗うつ作用や抗コリン作用が弱く、適度な鎮静作用をもつため、興奮

の少ないせん妄に対して用いられます．また，半減期が短く，翌朝への持ち越しが少ないのもメリットです．脳器質的障害などによってせん妄をきたしている場合，半減期の長い薬を投与してしまうと，翌日の傾眠が脳内で新たなイベントが起こったためなのか，もしくは薬の効果が遷延しているためなのかがわかりにくくなるため，そのようなケースでもトラゾドンは有用です．さらに，筋弛緩作用が弱いため，転倒のリスクも少ないと考えられます．

なお，もしトラゾドンを使用しても中途覚醒や早朝覚醒がみられるなど，効果の持続時間が短いと考えられる場合では，**ミアンセリン**を用いるとよいでしょう．ミアンセリンも抗うつ薬ですが，ここではシンプルに，「トラゾドンと似たような薬剤であるが，トラゾドンよりも半減期が少し長く，鎮静作用もやや強いのがミアンセリン」と理解しておきましょう．

このように，興奮が少ない過活動型せん妄では，トラゾドンを中心に不眠時指示を組み立てます．トラゾドンは，用量に幅がある（25〜150 mg/日）ため，追加投与が十分可能です．したがって，単剤で調整しやすく，薬剤の効果や副作用も評価しやすいと考えられます．ただし，トラゾドンの鎮静効果は決して強くはないため，不穏時指示には向いていません．これについては，後で詳しく述べます．

処方例（興奮が少ない過活動型せん妄）

■**標準指示**
【定時薬】
- トラゾドン 25 mg　夕食後

【不眠時】
- トラゾドン 25 mg　30 分以上あけて計 3 回まで OK

【不穏時】
〈内服可能時〉
糖尿病がない場合
- クエチアピン 25 mg　30 分以上あけて計 3 回まで OK

糖尿病がある場合
- リスペリドン液 0.5 mL　30 分以上あけて計 3 回まで OK

〈内服不可時〉
- ハロペリドール注（5 mg/A）1 A ＋生食 20 mL　側管からワンショット　30 分以上あけて計 3 回まで OK

＊トラゾドン投与量の目安
定時薬：開始用量 25 〜 50 mg，維持用量 25 〜 150 mg/ 日
頓服薬：1 回量 25 mg

■トラゾドンを使用しても中途覚醒や早朝覚醒が目立つ場合
【定時薬】
- ミアンセリン 20 mg　夕食後

【不眠時】
- ミアンセリン 10 mg　30 分以上あけて計 3 回まで OK

【不穏時】
〈内服可能時〉
糖尿病がない場合
- クエチアピン 25 mg　30 分以上あけて計 3 回まで OK

糖尿病がある場合
- リスペリドン液 0.5 mL　30 分以上あけて計 3 回まで OK

〈内服不可時〉
- ハロペリドール注（5 mg/A）1 A ＋生食 20 mL　側管からワンショット　30 分以上あけて計 3 回まで OK

＊ミアンセリン投与量の目安
定時薬：開始用量 10 〜 20 mg，維持用量 10 〜 60 mg/ 日
頓服薬：1 回量 10 mg

2）興奮が強い過活動型せん妄

　興奮が強い過活動型せん妄は，トラゾドンの鎮静作用ではやや弱いため，抗精神病薬を用いることになります．なかでも，**クエチアピン**が特に有効です．

　クエチアピンは，抗幻覚妄想作用はほとんどありませんが，強力な鎮静作用をもつ薬剤です．また，半減期が短いため，翌朝への持ち越しが少ないというメリットがあります．さらに，抗精神病薬特有の副作用である，振戦や動作緩慢といったパーキンソン

症状がきわめて少なく，安全性も高いと考えられます．実際，日本神経学会の「パーキンソン病治療ガイドライン2018」[4]において，パーキンソン病に対するクエチアピンの投与は許容されています．

一方，リスペリドンはクエチアピンとは真逆で，抗幻覚妄想作用は強いものの，鎮静作用は比較的軽度です．したがって，**興奮が強い過活動型せん妄に対する第一選択薬は，鎮静作用に優れたクエチアピンと考えられます**．ただし，クエチアピンは，**糖尿病患者に対する投与が禁忌**とされているため，興奮が強い過活動型せん妄では，まず糖尿病の有無を確認し，糖尿病がなければクエチアピン，あればリスペリドンという順番で薬剤を選択するのがよいでしょう．

リスペリドンは，錠剤よりも内用液が有用です．リスペリドン液は，口腔内でもその一部が吸収されて効果発現が速いため，頓服として使いやすいというメリットがあります．また，錠剤の内服が難しい患者さんや，場合によっては拒薬傾向の患者さんにも投与が可能です．ただし，水やジュース（コーラ以外），汁物に混ぜるのはOKですが，茶葉抽出飲料（紅茶，ウーロン茶，日本茶など）やコーラなどと混合すると効果が減弱するため，十分注意が必要です．また，**リスペリドンの活性代謝産物は腎排泄**のため，腎機能が悪い患者さんに投与すると，翌日に効果を持ち越すことがあります．したがって，腎機能障害をみとめる際には，開始用量や増量幅を少なめに設定しましょう（図5）．その他，パーキンソン病の患者さんには慎重に投与する必要があります．

なお，リスペリドンの鎮静作用はやや弱いため，鎮静作用を補うために，トラゾドンなどの鎮静系抗うつ薬や，オレキシン受容体拮抗薬，または半減期の短いベンゾジアゼピン受容体作動薬などと併用することがあります．ベンゾジアゼピン受容体作動薬はせん妄を惹起するリスクがあるため，本来は投与を避けるべきですが，抗精神病薬と併用することでせん妄のリスクが抑えられ，むしろ有意な鎮静作用が得られることがあります．ただし，ベン

実践編

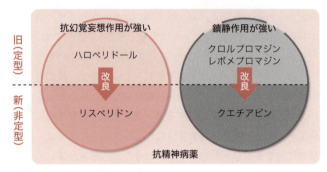

図5　新旧の抗精神病薬の主な薬理作用

ハロペリドールはパーキンソン症状などの副作用が出やすいため，それを少なくしたのがリスペリドン．クロルプロマジンやレボメプロマジンは過鎮静となりやすく，それを少なくしたのがクエチアピン．

ゾジアゼピン受容体作動薬のなかでも，比較的せん妄惹起のリスクが低いとされるエスゾピクロンを選択するのが無難です．

また，糖尿病がある場合はクエチアピンが使えませんし，さらに重度の腎機能障害（透析など）をみとめるケースでは，リスペリドンもなるべく避けるべきです．これらのケースでは，しばしば**ペロスピロン**を用いることがあります．ペロスピロンは，抗幻覚妄想作用は強いものの，それに比べて鎮静作用はやや弱い抗精神病薬です．また，半減期が短く，翌日への持ち越しが少ないことから，過鎮静を避けたい場合に有用と考えられます．

その他，内服薬が使用不可能な場合は，原則として注射薬を用います．ただし，内服薬のなかでも，アセナピン（舌下錠）とオランザピン（口腔内崩壊錠）は，その剤形の利を活かして，内服困難な患者さんに使用することができます．

アセナピンについては，後で詳しく解説します．オランザピンは，強い抗幻覚妄想作用と強い鎮静作用を併せもつ抗精神病薬です．ただし，半減期が長く持ち越しが懸念されることや，**糖尿病患者への投与が禁忌**となっていること，そして何より抗コリン作

用が比較的強いため，せん妄の惹起や悪化を招くリスクがあることなどに注意が必要です．

> ### 処方例（興奮が強い過活動型せん妄）
>
> **■標準指示**
>
> 糖尿病がない場合
> 【定時薬】
> - クエチアピン 25 mg　夕食後
>
> 【不眠時】
> - クエチアピン 25 mg　30 分以上あけて計 3 回まで OK
>
> 【不穏時】
> 〈内服可能時〉
> - クエチアピン 50 mg　30 分以上あけて計 3 回まで OK
>
> 〈内服不可時〉
> - ハロペリドール注（5 mg/A）1 A ＋生食 20 mL　側管からワンショット　30 分以上あけて計 3 回まで OK
>
> ＊**クエチアピン投与量の目安**
> 定時薬：開始用量 25 〜 50 mg，維持用量 25 〜 150 mg/ 日
> 頓服薬：1 回量 25 mg
>
> ---
>
> 糖尿病がある場合
> 【定時薬】
> - リスペリドン液 0.5 mL　夕食後
>
> 【不眠時】
> - リスペリドン液 0.5 mL　30 分以上あけて計 3 回まで OK
>
> 【不穏時】
> 〈内服可能時〉
> - リスペリドン液 1 mL　30 分以上あけて計 3 回まで OK
>
> 〈内服不可時〉
> - ハロペリドール注（5 mg/A）1 A ＋生食 20 mL　側管からワンショット　30 分以上あけて計 3 回まで OK
>
> ＊**リスペリドン液投与量の目安**
> 定時薬：開始用量 0.5 〜 1 mL，維持用量 0.5 〜 3 mL/ 日
> 頓服薬：1 回量 0.5 mL

> 糖尿病かつ重度腎機能障害(透析など)がある場合
> 【定時薬】
> - ペロスピロン 4 mg　夕食後
>
> 【不眠時】
> - ペロスピロン 4 mg　30分以上あけて計3回までOK
>
> 【不穏時】
> 〈内服可能時〉
> - ペロスピロン 8 mg　30分以上あけて計3回までOK
>
> 〈内服不可時〉
> - ハロペリドール注（5 mg/A）1 A＋生食 20 mL　側管からワンショット　30分以上あけて計3回までOK
>
> ＊ペロスピロン投与量の目安
> 定時薬：開始用量 4〜8 mg，維持用量 4〜28 mg
> 頓服薬：1回量 4 mg

● 内服が不可能な場合

周術期のほか，嚥下困難や消化管閉塞などで絶飲食の場合，または興奮が顕著で拒薬傾向をみとめるケースなどでは，**注射薬を選択する**ことになります．

注射薬では，使用可能な薬剤が限られており，抗精神病薬の**ハロペリドール**がよく用いられます．ただし，ハロペリドールは**パーキンソン病や重症心不全，レビー小体型認知症への投与が禁忌**とされているため，投与前にその確認が必要です．

1) ハロペリドールの投与が可能な場合

ハロペリドールには，静脈注射と筋肉注射の2通りの投与方法があります．なかでも，静脈注射は筋肉注射に比べてパーキンソン症状などの副作用が少なく，即効性も期待できます．また，興奮が強い場合の筋肉注射は，針刺し事故につながる可能性があります．したがって，ハロペリドールの指示は必ず静脈注射とし，もしラインがない場合は比較的症状が穏やかな日中にラインを確保し，ヘパリンでロックをして患者さんの不快にならないように

するなど，夜間の静脈注射に備えておくのがよいでしょう．

　静脈注射が可能になると，使い方のバリエーションが増えます．例えば即効性が求められる場合，すなわち患者さんの興奮が今まさに強いようなケースでは，頓用として側管からハロペリドールをワンショット（静脈内に1回で注入）します．実臨床では，不穏時指示がハロペリドールの「点滴」となっているケースを見かけますが，興奮が強い場合は，時間をかけて点滴している間にラインを自己抜去されかねません．ハロペリドールは呼吸抑制をきたすリスクがないため，注入速度を心配することなく，不穏時はワンショットで用いるようにしましょう．また，朝まで落ち着いて寝てほしいといった持続性を期待する場合では，逆に定時薬として点滴で滴下することで効果が持続しやすくなります．

　ただし，臨床現場からは，しばしば「セレネース（ハロペリドール）とサイレース（フルニトラゼパム）のとり違え事例」が報告されており，両薬剤はいずれも名前がよく似ているため，十分注意が必要です．サイレースはベンゾジアゼピン受容体作動薬であり，呼吸抑制のリスクがあるため，誤ってワンショットした場合，重大な医療事故につながる可能性があります．このようなとり違えを防止するために，両薬剤を間違えやすい医薬品として認知する機会（研修会や勉強会など）を定期的に設けることや，薬剤を保管している棚に「セレネースとサイレースのとり違えに注意！」といった注意喚起の張り紙をするのも有効です．

処方例（注射薬）

【定時薬】
- ハロペリドール注（5 mg/A）0.5 A ＋生食 100 mL
  19時から2時間かけて点滴

【不眠時】
- ハロペリドール注（5 mg/A）0.5 A ＋生食 20 mL
  側管からワンショット　30分以上あけて計3回までOK

> **【不穏時】**
> - ハロペリドール注(5 mg/A) 1 A ＋生食 20 mL
>   側管からワンショット　30 分以上あけて計 3 回まで OK
>
> * **ハロペリドール注(5 mg/A)投与量の目安**
> 定時薬：開始用量 0.5 〜 1 A，維持用量 0.5 〜 3 A
> 頓服薬：1 回量 0.5 〜 1 A

　ハロペリドールは，リスペリドンと同じく幻覚・妄想に対する効果は強いものの，その一方で鎮静作用がやや弱いという難点があります．興奮が強いせん妄に対して，ハロペリドールを使ってもあまり効果がみられない場合，さらに増量したところで十分な鎮静作用は得られないばかりか，逆にパーキンソン症状など副作用の出現が懸念されます．そこで，ハロペリドールの鎮静作用を補う目的で，ヒドロキシジンやフルニトラゼパムと併用することがあります．

　本書では，興奮が強い過活動型せん妄に対する内服不可能な際の薬物療法として，**ハロペリドールとヒドロキシジンの併用**を推奨します．ヒドロキシジンはフルニトラゼパムと異なり，呼吸抑制のリスクはないため，安全性の高い薬剤です．抗ヒスタミン薬であり，抗コリン作用があるため，原則として単剤での使用は避けたほうがよいのですが，牛脳のデータでは他の第一世代の抗ヒスタミン薬に比べて抗コリン作用が少ないことが示されています（ヒトでのデータはなし）．また，ハロペリドールのような抗精神病薬と併用することは，臨床上許容され有効と考えられます．ただし，フルニトラゼパムに比べると鎮静作用はかなり弱いため，初期投与量を 25 mg ではなく原則として 50 mg にするほか，効果が弱い場合は積極的に増量することがポイントです．なお，ヒドロキシジンを静脈注射する際は，添付文書にしたがって，25 mg/ 分以上の速度で注入しないようにしましょう．

　せん妄に対する注射指示は，多くの病院で「ハロペリドール単剤」になっていると思いますし，本書でもまずはその指示を紹介

しました．抗精神病薬のなかでも，ハロペリドールの鎮静効果は決して強くありませんが，他に注射で使える抗精神病薬がほぼないため，やむを得ない面があります．ただし，興奮がきわめて強いせん妄や，病棟スタッフが少ない週末にかけてみられたせん妄など，確実な"火消し"が求められる場合は，このように最初からハロペリドールにヒドロキシジンを併用するのがよいと考えられます．また，併用することでハロペリドールの用量を少なくおさえることも可能です．ぜひ参考にしてください．

ハロペリドール注にヒドロキシジン注（鎮静作用はやや弱い）を併用する処方例（本書オススメ）

【定時薬】
- ハロペリドール注（5 mg/A）1 A ＋
  ヒドロキシジン注（50 mg/A）1 A ＋生食 100 mL
  20 時から 1 時間かけて点滴

【不眠時】
- ハロペリドール注（5 mg/A）0.5 A ＋
  ヒドロキシジン注（25 mg/A）1 A ＋生食 20 mL
  側管から 1 分以上かけて緩徐に静注
  30 分以上あけて計 3 回まで OK

【不穏時】
- ハロペリドール注（5 mg/A）1A ＋
  ヒドロキシジン注（50 mg/A）1A ＋生食 20 mL
  側管から 2 分以上かけて緩徐に静注
  30 分以上あけて計 3 回まで OK

また，ヒドロキシジンではなく，ベンゾジアゼピン受容体作動薬の**フルニトラゼパム**をハロペリドールと併用することもあります．フルニトラゼパムは，ベンゾジアゼピン受容体作動薬のためせん妄を惹起するリスクがあり，がんの終末期にみられるせん妄で持続鎮静を行う場合などを除いて，原則として単独での使用は避けるべきです．ただし，抗精神病薬との併用は臨床上許容されており，一定のコンセンサスが得られています．

フルニトラゼパムは鎮静作用がきわめて強く，確実に入眠効果が得られることから，いわゆる最終的な手段の1つと考えられます．とはいえ，呼吸抑制をきたす可能性があるため，実臨床ではかなり使いにくいのも事実です．例えば，高濃度の酸素が投与されているような呼吸状態の悪い患者さんには使うべきではありませんし，呼吸抑制をきたした場合の対応に不慣れな病棟でも使用を控えたほうがよいでしょう．

もし，**ハロペリドールとフルニトラゼパムを併用する場合，以下の※の部分は特に重要です**．岡山大学病院では，フルニトラゼパムを使用する際には以下の内容を必ずカルテに記載し，口頭でも具体的に指示をしています．

> **ハロペリドール注とフルニトラゼパム注**
> **(鎮静作用がきわめて強い)の併用の処方例**
>
> - ハロペリドール注(5 mg/A)1 A ＋
>   フルニトラゼパム注(2 mg/A)0.5 A ＋生食 100 mL
>   20 時から点滴開始
> - ※「入眠したら滴下を止め，覚醒したら滴下再開」をくり返す
> - ※呼吸抑制に十分注意する
> - ※投与前に救急処置(バッグバルブマスクやフルマゼニル(ベンゾジアゼピン受容体拮抗薬)など)の準備をしておく
> - ※投与中はパルスオキシメーターや血圧計などで呼吸・循環動態を継続的にモニタリングする

2)ハロペリドールの投与が禁忌の場合

例えばパーキンソン病や重症心不全，レビー小体型認知症の患者さんが過活動型せん妄を発症し内服が不可能な場合，ハロペリドールは禁忌となるため使用できません．その際には，やむを得ずヒドロキシジンを単独で使用するか，アセナピンを用います．

まず，**ヒドロキシジンを単独**で用いる場合，以下の処方例を参

考にして下さい．なお，ヒドロキシジンの投与中はせん妄の悪化に十分注意し，もし悪化が薬剤性と考えられる場合は直ちに中止して，他の薬剤へ変更しましょう．

内服困難な場合の処方例 ①

【定時薬】
- ヒドロキシジン注(50 mg/A)1 A ＋生食 100 mL
  20 時から 1 時間かけて点滴

【不眠時】
- ヒドロキシジン注(25 mg/A)1 A ＋生食 20 mL
  側管から 1 分以上かけて緩徐に静注
  30 分以上あけて計 3 回まで OK

【不穏時】
- ヒドロキシジン注(50 mg/A)1 A ＋生食 20 mL
  側管から 2 分以上かけて緩徐に静注
  30 分以上あけて計 3 回まで OK

次に，**アセナピン**は適度な鎮静作用をもち，抗コリン作用の少ない抗精神病薬です．舌下錠ですが，舌下のみならず舌上，バッカル(歯茎と頬の間)などでも吸収されるため，内服が不可能な場合の注射薬の代替薬になりえます．また，さまざまな受容体に作用する抗精神病薬で，クエチアピンやオランザピンと同じグループに属するのですが，糖尿病の患者さんへの投与が禁忌ではありません．ただし，投与後 10 分間は飲食禁止となっており，そのことを医療者間で共有しておく必要があります．また，舌の違和感(痛みなど)を訴える場合があることを知っておきましょう．

内服困難な場合の処方例 ②

【定時薬】
- アセナピン舌下錠 5 mg　夕食後
  ※舌下投与(水などで飲み込まないこと)
  ※口腔粘膜から吸収のため，10 分間は飲食禁止

> 【不眠・不穏時】
> - アセナピン舌下錠 5 mg　30 分以上あけて計 3 回まで OK
>   ※舌下投与(水などで飲み込まないこと)
>   ※口腔粘膜から吸収のため，10 分間は飲食禁止
> * アセナピンは 1 日最大用量が 20 mg のため，不眠時と不穏時を合計して，計 3 回までとする
> 注：アセナピンの不眠時指示の用量を，2.5 mg にしても OK です（ただし，吸湿性があるため，使用直前に半分に割る必要があります）

なお，病院や施設によってはクロルプロマジンの経静脈投与が行われており，専門家によって一定の評価が得られています．ただし，クロルプロマジンは，①せん妄に適用外なだけでなく，②経静脈投与自体も適用外(筋肉注射のみ)であるため，本書では推奨していません．

せん妄の患者さんは，身体的な重症度が高いことが多いため，急変などが起こりえます．そのような際，適用外の使用が重なっていると，後々になって問題となる可能性が否定できません．がんの終末期で予後が短いという理由で，糖尿病があるにもかかわらずクエチアピンを用いるのも同じく避けるべきで，少なくとも十分な説明と同意が必要不可欠と考えられます．

●日中の不穏

一般に，せん妄は夜間に症状が強くなりますが，日中にも落ち着きがなくなったり，興奮したりすることがあります．そのような場合の薬剤選択として，①日中にリスペリドン（定期／頓服／定期＋頓服），②日中に抑肝散（定期／頓服／定期＋頓服），③夕にオランザピン（定期），④朝にブロナンセリンテープ（定期），⑤夕にバルプロ酸（定期），⑥日中にハロペリドール注（定期／頓用／定期＋頓用）などがあげられます．

① 日中にクエチアピンなど,鎮静作用の強い薬剤を用いると,確かに興奮はおさまるかもしれませんが投与後に寝てしまい,昼夜逆転となる可能性があります.そこで,**鎮静効果のやや弱いリスペリドンを用いるのがよい**と考えられます.リスペリドン液は,拒薬傾向の患者さんにも有用です.また,日中に幻覚・妄想をみとめる場合も,リスペリドンの好適症例と言えるでしょう.なお,もし症状が出やすい時間帯があれば,その30分〜1時間くらい前に定期内服するのもよいですが,まずは頓服指示からはじめましょう.

② **抑肝散**は,鎮静作用が弱いため,せん妄でみられる不眠や不穏にはほぼ無効ですが,**イライラや不安などに対する効果**が期待できます.朝・昼食後の定期内服とするか,もしくは頓服指示とします.副作用は少ないものの,カンゾウ(甘草)を含んでおり,偽アルドステロン症による低K血症をみとめることがあります.初期症状として,手足のだるさやしびれ感がみられ,脱力感や筋肉痛,血圧上昇,浮腫などをみとめます.したがって,投与中は可能な限りK値の確認を行いましょう.

③ **オランザピン**は,強い鎮静作用をもち,口腔内崩壊錠という特徴的な剤形を活かして,内服薬の使用が困難なせん妄の患者さんにしばしば用いられます.半減期が長いため,眠気などの持ち越しが懸念されますが,それを逆手にとって日中にも症状をみとめるせん妄に投与することがあり,その場合は夕食後に投与します.また,「抗悪性腫瘍剤(シスプラチン等)投与に伴う消化器症状(悪心,嘔吐)」に保険適用があるため,がんの患者さんですでに処方されている場合は,増量や内服時間の変更(夕食後や眠前内服)を検討します.

ただし,**糖尿病の患者さんへの投与が禁忌**であるほか,新規抗精神病薬のなかでは抗コリン作用が比較的強いため,逆

にせん妄の悪化につながる可能性も否定できません.

④ **ブロナンセリン**は，抗幻覚妄想作用は強いものの，鎮静作用はきわめて弱い抗精神病薬です．したがって，リスペリドンと同じように，日中の不穏に対して有用な可能性があります．また，ブロナンセリンには貼付剤（ブロナンセリンテープ）があるため，拒薬傾向をみとめるなど内服薬の使用が困難な場合や，日中に幻覚をみとめるケースに有効です．1日1回，24時間を目安に貼りかえ（前回とは異なる場所に貼る），場所としては胸や腹部，背中のいずれかを選びます．皮膚から吸収されるため，内服薬よりも血中濃度が安定し，副作用が少ないと考えられます．ただし，リスペリドンと異なり，ブロナンセリンテープは**即効性が乏しいため，頓用薬には適していません**．したがって，定時内服が原則で，少なくとも数日～1週間は様子をみる必要があります．効果が不十分だからといって，決して増量を急ぎすぎないように注意しましょう．

⑤ **バルプロ酸**は，錠剤のほか，徐放剤，細粒，シロップと，剤形が複数あります．錠剤やシロップは，徐放剤に比べて効果発現がすみやかで，血中濃度がすみやかに上昇するため，夜間の不穏などに効果を発揮します．さらに，翌日にも効果が期待できるため，日中に不穏をみとめるせん妄に対して用いることがあります．また，脳外科領域などでは抗痙攣作用としてすでに処方されている場合があり，その際には増量などを検討します．ただし，バルプロ酸は肝機能障害をきたすことが多く，さらには高アンモニア血症にも注意が必要なため，血液検査時には肝酵素やアンモニア値を必ず確認するとともに，連続的に投与する場合は血中濃度の測定が求められます．また，カルバペネム系抗菌薬との併用が禁忌となっているため，投与前に確認しておきましょう．

⑥ 内服が不可能な際には，**ハロペリドール**を用います．ただし，鎮静がかかりすぎると今度は昼夜逆転になることから，まずは単剤で調整します．そして，もし効果が弱いようであれば，ヒドロキシジンとの併用を検討しましょう．

日中の不穏への処方例

■**処方例①**
【定時薬】
- リスペリドン液 0.5 mL　朝食後
  リスペリドン液 0.5 mL　昼食後

ならびに／または

【日中落ち着かないとき】
- リスペリドン液 0.5 mL　30 分以上あけて計 3 回まで OK

＊**リスペリドン液投与量の目安**
定時薬：開始用量 0.5 〜 1 mL，維持用量 0.5 〜 3 mL/ 日
頓服薬：1 回量 0.5 mL

■**処方例②**
【定時薬】
- 抑肝散 2.5 g　朝食後
  抑肝散 2.5 g　昼食後

または

【日中落ち着かないとき】
- 抑肝散 2.5 g　30 分以上あけて計 3 回まで OK

＊**抑肝散投与量の目安**
定時薬：開始用量 2.5 〜 7.5 g，維持用量 2.5 〜 7.5 g
頓服薬：1 回量 2.5 g

■**処方例③**
【定時薬】
- オランザピン 2.5 mg　夕食後

＊**オランザピン投与量の目安**
定時薬：開始用量 0.125 〜 2.5 mg，維持用量 0.125 〜 10 mg

■処方例④
【定時薬】
- ブロナンセリンテープ 40 mg　朝食後

＊ブロナンセリンテープ使用量の目安
定時薬：開始用量 20 〜 40 mg，維持用量 20 〜 80 mg

■処方例⑤
【定時薬】
- バルプロ酸 400 mg　夕食後

＊バルプロ酸投与量の目安
定時薬：開始用量 200 〜 400 mg，維持用量 200 〜 800 mg

■処方例⑥
【定時薬】
- ハロペリドール注(5 mg/A)0.5 A ＋生食 100 mL
  朝 9 時から 2 時間かけて点滴

【日中落ち着かないとき】
- ハロペリドール注(5 mg/A)0.5 A ＋生食 20 mL
  側管からワンショット　30 分以上あけて計 3 回まで OK

その他，薬剤選択を行う際には，身体合併症や禁忌，代謝・排泄経路などを考慮する必要があります(表 7，8)．

●低活動型せん妄

低活動型せん妄の薬物治療については，残念ながらエビデンス的に推奨される薬剤はほぼありません．あくまでも私見ですが，低活動型せん妄に対する薬物治療の目標を「**睡眠・覚醒リズムの確立**」，すなわち「**夜深く眠り，日中の覚醒度を上げること**」と考えると，**適度な鎮静作用をもち半減期の短いトラゾドンが有用**です．逆に，半減期の長い薬剤を用いると，投与翌日に強い眠気をみとめた場合，それが薬剤の影響なのか低活動型せん妄の症状なのかがわかりにくくなるため，注意が必要です．

表7 薬剤選択の際に確認しておきたいポイント

疾患・病態・併用薬	留意点	理由
糖尿病	×クエチアピン（禁忌） ×オランザピン（禁忌）	糖尿病に禁忌
パーキンソン病	×ハロペリドール（禁忌）	パーキンソン病に禁忌
	△リスペリドン（注意） △ペロスピロン（注意）	パーキンソン症状の悪化に注意
	○クエチアピン	パーキンソン症状の悪化リスクが少ない
レビー小体型認知症	×ハロペリドール（禁忌）	レビー小体型認知症に禁忌
	△リスペリドン（注意） △ペロスピロン（注意）	副作用（パーキンソン症状や過鎮静など）が起こりやすい
	○クエチアピン	副作用（パーキンソン症状や過鎮静など）が起こりにくい
重症心不全	×ハロペリドール（禁忌）	重症心不全に禁忌
重度肝障害	×アセナピン（禁忌） ×バルプロ酸（禁忌） ×レンボレキサント（禁忌） ×ラメルテオン（禁忌）	重度肝障害に禁忌
	△クロルプロマジン	肝障害の悪化に注意
	△スボレキサント	血中濃度の上昇に注意
呼吸機能低下	×フルニトラゼパム	呼吸抑制をきたすリスクが高い
腎機能障害	△リスペリドン △チアプリド	腎排泄のため、効果が遷延する可能性がある
嚥下障害	なるべく抗精神病薬を避ける	嚥下機能の低下に影響する可能性がある
イレウス・サブイレウス	なるべく抗精神病薬を避ける ＊ただし、ハロペリドール注は使用可能（抗コリン作用が比較的少ない）	抗コリン作用によりイレウスが悪化しやすい
ステロイド	△クエチアピン △オランザピン	血糖上昇がみられた場合、ステロイドの影響か、投与薬剤が原因かがわかりにくい
カルバペネム系抗菌薬	バルプロ酸（併用禁忌）	カルバペネム系抗菌薬との併用禁忌

実践編

表8　臓器障害の観点における薬剤選択

臓器障害	比較的推奨される	推奨されない	禁忌
肝障害	ロラゼパム	クロルプロマジン（慎重投与） スボレキサント（慎重投与）	アセナピン バルプロ酸 レンボレキサント ラメルテオン （いずれも重度肝障害）
腎障害		リスペリドン（注意） チアプリド（慎重投与）	
心不全	ペロスピロン ベンゾジアゼピン受容体作動薬 （いずれもQT延長のリスクが少ない）		ハロペリドール （重症心不全）
呼吸不全		ベンゾジアゼピン受容体作動薬	

　その他，体内時計を調整する「メラトニン」類似の働きをするラメルテオンを用いることもありますが，効果発現に日数がかかる（1週間程度）こともあり，必ずしも有用とは言えません．

　また，夜間の睡眠確保を目的として，注射薬のハロペリドールなどを用いることもありますが，やはり翌日に効果を持ち越さないという視点がきわめて重要です．特に，低活動型せん妄は身体的に重症なケースも多いことから，薬剤はできるだけ少量（過活動型せん妄の1/2～1/4程度）から開始することが望ましいと考えられます．海外ではアリピプラゾールの有効性が報告されていますが，低用量でアカシジアをきたすこともあり，日本では積極的な投与は行われていません．

　以上より，低活動型せん妄でもし薬物療法を行うのであれば，**トラゾドンが主な選択肢となります．しかしながら，できるだけ非薬物療法をメインにする**のがよいでしょう．

日本において，せん妄で保険適用となる薬剤はチアプリド一剤のみですが，多くの臨床現場では，効果や副作用などを考慮して，クエチアピンやリスペリドン，ハロペリドールなどがよく用いられています（p146 表5）．このような乖離した実情を踏まえて，2011年に厚生労働省から，「**クエチアピン，リスペリドン，ハロペリドール，ペロスピロンの4剤について器質性疾患に伴うせん妄・精神運動興奮状態・易怒性に対する適応外使用を審査上認める**」という通知が出されました．ただし，それでも保険適用はないため，これらの薬剤を用いる際には，患者さんやご家族にその効果や副作用などについて十分な説明を行い，同意を得たうえで投与することが望ましいと考えられます．

　せん妄の患者さんは意識障害をきたしているため，実臨床では患者さんに代わってご家族から同意を得るケースが多いと考えられます．ただし，毎回のようにご家族に説明し，同意を得たうえでないと投薬ができないというのは，夜間突然のように発症するせん妄の特徴を考慮すると，決して現実的ではありません．そこで，「せん妄を発症した全ケースに必ず説明をする」ということではなく，**可能な範囲で説明を行い，同意書にサインをしてもらうように努める**，というのが1つの落としどころです．なお，身体的な重症度が高く急変が起こりえる場合や，患者さんやご家族との信頼関係が不十分な場合，薬物療法そのものに抵抗感をもたれているケースなどでは，必ず同意書へのサインを前提としたうえで薬剤を用いるのがよいでしょう．

せん妄に対して保険適用外の薬剤を使用することについての同意書例

以下のような文書を用いて説明する．

今の患者様の状態は，医学的に「せん妄」とよばれるものです．
せん妄では，次のような症状がみられます．

> - 時間や場所の感覚が鈍くなる
> - 幻覚が見える
> - 睡眠のリズムが崩れる
> - 落ち着きがなくなる
> - 話していることのつじつまが合わなくなる
> - 荒っぽくなったり,ときには怒りっぽくなったりする
> - からだについている治療のための管を抜いてしまう

　せん妄がみられると,例えば安静が保てずに転倒してしまい,頭部外傷や骨折などによって入院期間が長くなり,場合によっては生命に危険が及ぶこともあります.そのため,可能な限りすみやかな治療が必要になります.

　せん妄の治療では,興奮を鎮めて夜間ゆっくり眠れるように,内服薬や注射薬を使うことがあります.一般的な睡眠薬はかえってせん妄の悪化につながるとされている一方,健康保険で認められているせん妄の治療薬はほとんどないため,現実的には「統合失調症」や「うつ病」などに対する治療薬を適用外で使わざるを得ない状況です.

　これらの状況を踏まえて,2011年9月に厚生労働省から,クエチアピン(セロクエル),リスペリドン(リスパダール),ハロペリドール(セレネース),ペロスピロン(ルーラン)の4剤(いずれも「統合失調症」に対する治療薬)については,「器質性疾患に伴うせん妄・精神運動興奮状態・易怒性に対する適応外使用を審査上認める」という通知が出されました.また,日本総合病院精神医学会の調査でも,専門医の多くがせん妄の治療薬としてクエチアピン,リスペリドン,ハロペリドールなどを選択していることがわかっています.これらの薬は,せん妄に対して適用外ではあるものの,一定の効果が期待できると評価されています.

　副作用として,薬が効きすぎて翌日に眠気が残ってしまったり,唾液を飲みこみにくくなって肺炎を起こしたりするなどの可能性はありますが,薬を使わずにせん妄が長引いた場合の不利益の方がきわめて大きいと考えられます.

　以上のことから,今の患者様のせん妄に対してこれらの薬を使うことについて,どうかご理解・ご了承をいただければ幸いです.

私は，○○医師から，せん妄に対して適用外の薬を使うことの必要性と利益・不利益について，文書に沿って説明を受け，理解しましたので，同意します．

　　　　年　　　月　　　日

患者氏名_____　　同意者氏名_____　　続柄_____

② 用量を決める

　せん妄に対する薬剤を選択したら，次は用量を決めます．その際，年齢や体格，身体的重症度，臓器障害の有無などを参考にします(表9)．例えば，高齢者や肝・腎機能障害を認める場合では，薬剤の効果が強く出過ぎる可能性があるため，なるべく少量から開始するよう留意しましょう．

表9 用量を決める際に確認しておきたいポイント

確認すべき項目	留意点	理由
高齢者	少量から開始する	効果が強く出過ぎる可能性がある
体格（小）		
身体的重症度が高い		
肝・腎機能障害がある		
終末期におけるせん妄		
腎機能障害・透析中	特にリスペリドンを使う場合，少量から開始する	活性代謝産物が腎排泄のため，効果が遷延する可能性がある

③ 投与時間を決める

　せん妄に対する薬は，原則として，**眠前ではなく夕食後**に投与するのがよいと考えられます．せん妄は，「夜間せん妄」とよばれ

るように,夜に症状が強く現れますが,実際には夕方頃からゴソゴソと落ち着きのない様子がみられています.興奮が強くなってからでは必要となる薬の量が多くなり,結果的に翌日の過鎮静を招きます.せん妄の薬物治療は,消火活動に例えられます.夕食後に投与を行うなど,火が小さい早い時間帯に薬による火消しをしておくことが大切です(図6,7).

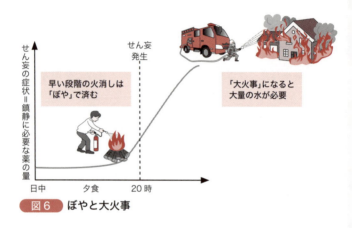

図6 ぼやと大火事

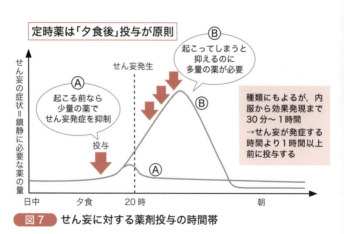

図7 せん妄に対する薬剤投与の時間帯

頓服薬の使用にあたっては，薬の名前や量だけでなく，どのくらい間隔をあけたら次の頓服を使ってもよいか，何回くらいまで使ってよいかなどについて，医師は看護師に具体的に伝えることが大切です．また，もし医師からその指示がなければ，看護師は医師に積極的に確認する必要があります．

　その他，すでに述べましたが，「頓服薬は，何時まで使ってよいか？」ということも，実臨床ではしばしば問題になります．これについて一定の見解はありませんが，翌日に効果を持ち越さないようにするためにも，原則的には**0時くらいまでに使用するのが望ましい**と考えられます．ただし，不眠・不穏が顕著な場合などに，0時を過ぎたからという理由だけで頓服薬が使用できないのは，患者さんにとっても医療者にとっても大きなデメリットです．そこで，原則は原則として，**症状があまりにも強い時には，0時を過ぎていても少々の持ち越しを覚悟のうえで頓服を使って睡眠を確保し，翌日必ず医師が診察・評価のうえ薬剤を再調整する**，というのが現実的かもしれません．また，「不穏時：〈0時まで〉クエチアピン 25 mg 計3回まで〈0時以降〉クエチアピン 12.5 mg 計3回まで」などと，時間帯で区切って指示を出すのもよいでしょう．

　なお，日中にも症状がみられるケースでは，日中の頓用指示を出しておく必要があります．これについては，前項「**日中の不穏**」を参照してください．

④ 評価する

　医師は薬の投与を行った際，看護師や薬剤師と連携してその薬の効果や副作用を評価し，場合によっては再調整を行います．医師は，せん妄に対してはじめて薬剤を投与した翌日に評価することはもちろん，薬剤の種類や量が固定できるまで，こまめに診察する必要があります．その際，できれば夜勤の看護師がいる朝早めの時間帯に病棟へ行き，患者さんの夜間の状況や薬剤投与後の

様子などを直接聞くのがよいでしょう．また，夜勤帯の看護記録も大いに参考になります．

このように，**せん妄に対する薬の効果や副作用の評価には，看護師が大きな役割を担います**．したがって，看護師は，「投与された薬剤にどのような効果や副作用がみられる可能性があるのか」だけでなく，「その副作用が実際にどのような症状となってあらわれるのか」について，具体的な観察項目を把握しておく必要があります（表10）．そして，その評価内容を，医師や薬剤師と確実に共有しましょう．

表10　せん妄で用いる抗精神病薬の副作用（モニタリング項目）

副作用		観察項目
パーキンソン症状	転倒	手のふるえや筋肉のこわばりなどはないか？
血圧低下		ふらつきはどうか？
過鎮静		朝の眠気はどうか？
過鎮静・嚥下障害	誤嚥性肺炎	食事中のむせはないか？
QT延長	失神・突然死	ふらつきや動悸はないか？
悪性症候群	意識障害・死亡	バイタルサイン（発熱・頻脈）やCPKの確認
アカシジア		落ち着きのなさはないか？
眼球上転		顔面の視診
便秘		排便の確認，腹部の診察（触診・聴診）
排尿困難		排尿回数や尿量の確認

薬を投与し，翌日に診察・評価を行った際，朝から傾眠傾向がみられることはしばしば経験されます．その際，ともすれば「薬の量が多かったのではないか」とすぐに決めつけてしまいがちですが，他に以下のような可能性を考えてみる必要があります．

薬の投与後に傾眠となっている場合の原因について

- 薬の投与量が多かった
- 薬の投与時間が遅かった(頓服薬も含めて)
- 薬の半減期が長かった
- 他の薬との相互作用によって効果が遷延した
- 肝機能や腎機能が悪く，薬の代謝・排泄が遅延した
- 薬の問題ではなく，過活動型せん妄の症状である(昼夜逆転)
- 薬の問題ではなく，低活動型せん妄の症状である(一日中傾眠)
- 診断はついていないが，じつはレビー小体型認知症だった(抗精神病薬への過敏性による過鎮静)

Column

＊EPS(Extra-Pyramidal Symptoms：錐体外路症状)とは

　せん妄の発症機序はきわめて複雑ですが，ドパミン神経系の機能亢進やアセチルコリン神経系の機能低下が関連していることが知られています．図のように，せん妄の患者さんでは，脳内のドパミン量が増加し，逆にアセチルコリンが減少していると考えられます．

　せん妄では，なぜ抗精神病薬を用いることが多いのか？その答えがここにあります．抗精神病薬は，本来統合失調症の治療薬ですが，脳内のドパミン量を減らす作用があるため，せん妄に対してもよく用いられるのです．

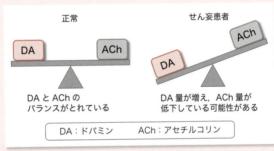

図　せん妄患者におけるドパミンとアセチルコリンのバランス

文献1より引用

　一般に，抗精神病薬はドパミンD2受容体の遮断作用をもっており，中脳辺縁系におけるドパミンD2受容体をブロックすることによって薬理作用を発揮します．ただし，脳内のドパミン神経系には，中脳辺縁系のほか，中脳皮質系，黒質線条体系，漏斗下垂体系といった4つの経路があります．抗精神病薬によって，黒質線条体系のドパミンD2受容体も遮断してしまうため，パーキンソン病に似た

病態をつくり出し，表のような錐体外路症状を引き起こすのです．

表　錐体外路症状の種類と特徴

副作用	発症する時期	主な特徴
パーキンソニズム（パーキンソン症状）	服薬開始後，数日〜数週間で生じる	・振戦，筋強剛，動作緩慢，歩行障害など ・薬剤性では左右差が少ない ・転倒や誤嚥性肺炎につながる
アカシジア（静坐不能症）	服薬開始直後や数日以内，数週間でみられることが多い	・足踏みや「ソワソワ」「イライラ」「じっとできない」など ・焦燥感を伴うため，精神症状の悪化と間違えられやすい
急性ジストニア	服薬開始後，約半数が48時間以内に出現する	・眼球上転や開口障害，斜頸など ・抗コリン薬のビペリデンが有効
遅発性ジスキネジア	服薬開始後，数カ月や数年経過してから生じる	・口をモグモグさせる，舌の突出など

■ 参考文献
1) 井上真一郎：認知症・せん妄・うつ病の違いを知ろう：病態の違い．看護技術，59：19-28，2013

⑤ 処方内容を再調整する

薬剤調整の具体的な方法について，図8に示しました．例えば，せん妄に対して定時薬としてクエチアピン 25 mg を夕食後に開始し，頓服指示（不眠時指示）としてクエチアピン 25 mg を計3回まで使用できるように指示を出します．そして翌日診察を行い，看護師から「定時薬のクエチアピン 25 mg だけでは眠れず，頓服薬のクエチアピン 25 mg を使用後は朝まで眠れていた」との報告を受けた場合，2日目は定時薬を 50 mg に増量します．このように，頓服薬の使用量を定時薬に上乗せするというプロセスをくり返し，頓服薬を使用せずに眠れるようになるまで定時薬を増量していきます．なお，頓服薬を使うことで翌日へ持ち越しがみられる場合では，頓服薬の1回使用量を半分にしてみるなど，頓服薬についても調整が必要です．

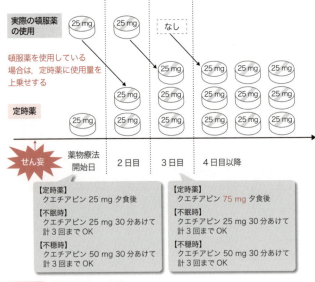

図8 薬剤調整の実際

なるべく早く定時薬の種類や量を固定するためにも，医師は看護師に対して**頓服薬の確実な使用**を指示する必要があります．そして，看護師は頓服薬を積極的に使うことを意識するだけでなく，看護師間でそのことを共有しておきましょう．

　なお，薬剤の効果を評価する際，看護師から「クエチアピンを投与したら，かえってせん妄がひどくなりました」という報告を聞くことがあります．興奮がきわめて強いせん妄では，確かにクエチアピンの鎮静作用でも効果が不十分なことはあっても，少なくともクエチアピンが「せん妄を悪化させる」ことはありません．このケースでは，身体状態が悪くなったか，または何らかの促進因子が加わったことでせん妄の症状がさらに強くなり，クエチアピンでせん妄を押さえ込めなかったことが，あたかもクエチアピンによってせん妄が悪化したように見えただけと考えられます．

　その他，薬をやめるタイミングもきわめて重要です．基礎編でも解説したように，**せん妄に対して投与された薬は，せん妄の直接因子がとり除かれた段階で，すみやかに減量・中止すべき**です．にもかかわらず，実臨床では「薬をやめるとまたせん妄が再燃するのではないか」という医療者側の不安から，漫然と投与されることがあります．ハロペリドールやリスペリドンなどの抗精神病薬を長期内服することで，遅発性ジスキネジア（服薬開始後，数カ月や数年経過してから生じる，「口をモグモグさせる」「舌の突出」などの難治性の副作用）が出ることもあります．

　せん妄で用いた薬を減量・中止するタイミングの目安は，**①直接因子がとり除かれたとき，②朝に眠気が残るようになってきたとき，③退院時**，の3つです．

　①については，すでに解説した通りです．

　②については，身体が本来の状態に戻ってくると，もともと飲んでいなかった薬のため，効果や副作用が強く出てくるようになります．そこで，朝に眠気が出てくるようになってきた場合は，

積極的に減量・中止を検討しましょう．患者さんにも「だんだん身体がよくなってきて睡眠がとれるようになると，もともと薬は飲んでいなかったので，その効果が朝に残ることがあります．いわば，薬が多すぎるという身体からのサインなので，もし朝に眠気が残るようであれば，また教えてください」と伝えておくのがよいでしょう．

③については，身体症状が改善しての退院であれば，せん妄の薬は不要なハズです．退院時に1週間分くらい処方しておき，自宅で自己調整してもらうのがよいでしょう．

*せん妄の患者さんに服薬を拒否された場合

せん妄の患者さんに薬の内服を勧めた際,服薬を拒否された経験をもつ医療者は多いのではないでしょうか？ 対策として,①服薬拒否を防ぐ方法(予防),②服薬拒否をされた際の方法(対処),の2通りがあります.

●服薬拒否を防ぐために

まずは,飲み方や飲む時間を工夫することです.服薬回数や錠剤数をできるだけ減らすとともに,せん妄が顕著になる前の早い時間(夕食後など)に定期内服を勧めましょう.

また,液剤や口腔内崩壊錠など,形状の工夫も有効です.さらに,拒否された場合に備えて,あらかじめ注射薬の指示を出しておくことも重要となります.

●服薬を拒否された際には

なんとか説得して無理にでも服薬させようとするとさらに拒否が強くなり,信頼関係が損なわれるだけでなく,被害妄想の対象になってしまうこともあります.

そこで,まずは服薬拒否の理由を探りましょう.頭ごなしに服薬を拒否される場合でも,本人なりの理由があることがほとんどです.ただし,せん妄のために,その理由を正確に他者へ伝えることが難しくなっているのです.そこで,「薬が苦い」のか,「薬が飲みこみにくい」のか,「薬が必要と考えていない」のかなど,目の前の患者さんの表情やしぐさ,言動などから想像力を働かせ,確認し,対応するといったプロセスが必要です.

いろいろな工夫をしても難しい場合は,タイミングや人を変えてあらためてトライするなど,医療者自身が焦らないことも大切です.

STEP 4　3：非薬物療法

　非薬物療法のうち，身体管理と環境調整については，実践編1章で紹介した内容を続けていくことになります．

　ここでは，主にせん妄の患者さんへの接し方（コミュニケーションの工夫）について，そのポイントを解説します．せん妄発症後は，特にせん妄の症状（表11）を念頭に置いた対応が有効です．

表11　せん妄でよくみられる症状

① 意識障害・注意障害
② 急性発症・日内変動
③ 記憶障害・見当識障害・視空間認知障害・幻覚など
④ 睡眠・覚醒リズム障害
⑤ 感情の障害

　以下，各症状を考慮した対応の工夫について，そのポイントを具体的に解説します．

① 意識障害・注意障害を考慮した対応

　注意機能には，①**持続**，②**選択**，③**転換**，④**分配**，の4つがあります．せん妄では，意識障害を基盤として注意機能が障害されているため，さまざまな症状があらわれます．図9をよく確認しておきましょう．

　せん妄の患者さんは，意識や注意力が低下してぼんやりしているため，できるだけ**短い言葉で**，**具体的に**話すことが大切です．また，注意の方向があちこちに逸れやすいため，例えばTVやラジオを切って，**静かな環境**で話をするように心掛けます．そして，複数の医療者がベッドサイドにいると，こちらの話を集中して聞

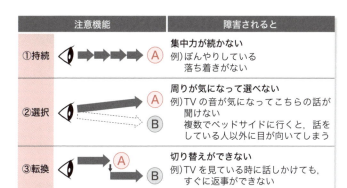

図9 4つの注意障害

くことができなくなるため，患者さんの目に入る範囲に多くの人がいることがないよう気をつけましょう．その一方で，注意障害を逆手にとり，例えば「家に帰る！」という訴えをくり返す場合は，タイミングを見て**他の話題に変える**など，意図的に注意を逸らすことも有効です．

また，せん妄は意識障害であるため，患者さんは痛みなどを正確に伝えることが難しくなります．痛みはせん妄の促進因子であり，誤った評価や対応によってせん妄が悪化することがあります．

せん妄患者における痛みと対応

■せん妄の悪化につながる対応例

①せん妄の影響で，患者は痛みをうまく訴えることができない
　➡医療者は痛みを把握できず，適切な疼痛コントロールが行われない
　➡痛み（促進因子）によって，せん妄がさらに悪化する

②せん妄の影響で,患者は痛みを必要以上に訴える
　➡医療者は痛みを過大評価してしまい,オピオイドの過量投与が行われる
　➡オピオイド（直接因子）によって,せん妄がさらに悪化する

③せん妄の影響で,大声をあげるなど興奮する
　➡医療者は痛みによって大声をあげていると評価してしまい,オピオイドの過量投与が行われる
　➡オピオイド（直接因子）によって,せん妄がさらに悪化する

■**痛みの評価と対応**

- 表情（眉をしかめる／歯を食いしばる／顔がひきつる）や動作（人やものをつかんで離さない／動くことを拒否する／こわばった姿勢）などの非言語的なメッセージに着目するほか,バイタルサインや検査結果などの客観的な指標も参考にして,総合的に痛みの状態を評価する

- 痛みの訴えに持続性や再現性があれば実際の痛み,なければせん妄の症状の可能性を考える

- 痛み止めの増量や頓服の使用回数と,せん妄の出現との時間的関係について評価する（オピオイドが増えれば増えるほどせん妄が悪化していれば,オピオイドが直接因子となっている可能性がある）

② 急性発症・日内変動を考慮した対応

　医療者は,ふだんの患者さんの様子を知らないことが多いため,急性発症かどうかを判断するのは決して容易ではありません.その点,ご家族はふだんと違う変化に気づきやすいため,**気になることがあれば教えてもらえるよう,入院時などにあらかじめ伝えておくことが大切**です.

　せん妄では症状に日内変動があり,1日のなかでも特に夜になると混乱が強くなるため,診察や処置,重要な話し合いなどは,可能な限り日中に行うことが大切です.また,比較的穏やかな日中にラインを確保しておき,夜の静脈注射の使用に備えておくことも,実践的なせん妄対策と言えます.

ただし，逆にせん妄の評価では，日中に問題がないからといって「せん妄はない」あるいは「改善した」と判断せず，むしろ**夕方以降の評価が重要**になることを忘れてはいけません．

③ 記憶障害・見当識障害・視空間認知障害・幻覚を考慮した対応

せん妄では，記憶力が低下し，聞いたことをすぐに忘れてしまう可能性があるため，伝えたいことはなるべく紙に書き，患者さんがいつでも確認できるようにしておくことが大切です．

また，日にちがわからなくなることがあるため，カレンダーが有効であることはよく知られています．ただし，患者さんにとってよく見えるところや目に触れやすい場所に設置すること，過ぎた日にちに×印をつけて今日が何月何日かがすぐにわかるようにすること（図 10），予定を書き込んでおくこと，医療者がベッドサイドに行った際は日にちを一緒に確認すること，といった**一歩踏み込んだ対策が必要**です．

2022 年
9 月

日	月	火	水	木	金	土
28	29	30	31	1 ×	2 ×	3 ×
4 ×	5 ×	6 ×	7 ×	8 ×	9 ×	10 ×
11 ×	12 ×	13	14	15 血液検査	16	17 お孫さんお見舞
18	19	20	21	22	23	24
25	26	27	28	29	30	

図 10 カレンダーの使用例

さらに，場所の感覚が鈍くなるため，部屋を間違えないよう，入り口に目印となるものを置くことも有効です．ただし，ふだんから馴染みのあるものでないと，気にとめることなくすぐに忘れ

てしまうこともあるため，何を置くのかがきわめて重要です．また，見当識障害があると，離棟または離院のリスクが高まります．夜間の見回りの際，せん妄の患者が部屋に不在であることはしばしば経験されるため，見回りを強化するとともに，あらかじめ詰所に近い部屋に移動してもらうのがよいでしょう．

　幻視は，本人にとっては実際に見えているものであるため，訂正が困難です(p110参照)．そこで，**無理に否定して現実をわかってもらおうとはせず**，落ち着いて話を聴くなど，まずは患者さんの話に合わせることが大切です．そして，幻視によって患者さんが感じている**「不安」や「イライラ」などの感情面にチャンネルを合わせてみましょう**．「不安になりますよね．でも，われわれが近くにいるから，心配しないでくださいね」のように，安心できるような言葉をかけることが有効です．また，幻覚や妄想が顕著な場合，それに左右されてしまい，本来自殺念慮はなくとも自殺企図を起こしてしまうことがあります．一般病院では，窓や吹き抜け，カーテン，タオルなど，自殺に利用されやすいものがきわめて多いため，十分注意しておきましょう．

④睡眠・覚醒リズム障害を考慮した対応

　せん妄では，夜眠れず昼ウトウトしてしまうといった昼夜逆転がみられるため，治療やケアの目標は，睡眠・覚醒リズムを立て直すことです．すなわち，夜よく眠れて朝に眠気を持ち越さないよう薬剤調整を行うとともに，日中の覚醒度が上がるように環境を整え（テレビやラジオなどをつける／ベッドを窓際にして日中の採光を心がけるなど），かかわり方を工夫する（頻回の声かけやリハビリテーションの導入など）ことが大切です(p95参照)．

⑤感情の障害を考慮した対応

　せん妄の患者さんは感情をうまくコントロールできなくなり，不安やイライラなどが現われやすくなりますが，医療者はなるべ

く冷静に話を聴くことが大切です（表12）．その際，タッチングなどは逆効果になることがあります．いたずらに刺激をすることのないよう，言葉づかいにも細心の注意を配りながら患者さんが怒っている理由を探り，落としどころを考えましょう．せん妄の患者さんがイライラしている場合，背景に痛みなどの身体的不快感が存在していることがあります．その場合，痛みのコントロールがイライラの軽減につながることは言うまでもありません．このように，せん妄の患者さんは，イライラなどの理由を適切に訴えることが難しいことがあるため，**医療者は想像力を働かせる必要があるのです**（図11）．

表12　怒りをあらわにする患者さんの対応で気をつけるべきこと

対応	理由など
最初は受け身で話をしっかり聴く	割り込んで話をしようとすると「話を邪魔された」「聴く気がない」などと思われてしまう
短い文で話す	集中が続かないため，長い文になると理解にくく混乱しやすい
専門用語や難しい単語を入れない	わからないことでさらにイライラが強くなる
なるべく冷静になる	怒りに対して怒りで対応すると，患者さんには「怒られている」という情動的な体験が強化される
身体に触れない	タッチングが逆に刺激になることがある
患者を名前でよぶ	患者を尊重しているという姿勢を見せる
無理に行動を制止しようとしない	「起き上がってしまう」のであれば，「起きていてもらおう」と逆の発想をもつ
説得しようとしない	説得しても怒りがおさまるとは限らない
「なぜ～？」「どうして～？」という質問は避ける	「～しなさい」という"注意"や"叱責"と受けとられることがある
話のなかで部分的にでも同意できるところを探し，共感の気持ちを示す	患者が「認めてもらえた」という感覚をもつと，少しトーンダウンすることがある
落としどころを考える	さしあたり，朝までしのげばいいと考える

その言葉，その行動は，何を意味しているのか？

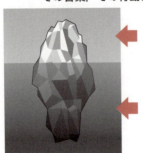

せん妄による症状
イライラ・徘徊など

背景
- 痛みなど身体的不快感 → イライラ
- 尿意や便意　　　　　 → 徘徊

想像力

図11　せん妄による症状とその背景

　その他，せん妄の患者さんに対する不適切な対応自体が促進因子となり，せん妄がさらに悪化することがあります．特に，怒りが強く攻撃的になっている患者さんに対しては，こちらもつい感情的になってしまうことがあるため，十分注意が必要です．

声かけの悪い例とよい例

■悪い例

「今は夜中ですよ！　緊急開腹手術を受けたばかりで日にちも全然経っていないのに，しばらくの間はベッド上で安静にしないといけないことが，なぜあなたにはわからないのですか（怒）！？」（頻回にタッチングしながら）

■良い例

「●●さん，帰りたくてご不安なんですね．●●さん，まだ夜中で危ないですし，お腹の傷もとても心配です．明るくなってから，帰りませんか？」（刺激になるかもしれないタッチングは避ける）

　岡山大学病院では，「せん妄患者さんへの対応〜病院施設編〜」という動画を作成し，主に医療者対象の研修会などで使用してい

ます（図12）．最初に「悪い対応」の実際を示し，その後に「良い対応」を紹介するなど，構成を工夫してみました．また，対応のポイントについても，わかりやすくまとめています．YouTubeにアップしていますので，自由にご活用ください（p268参照）．

なお，実臨床で対応に困るケースでは，かかわっている医療者が「どのような対応がうまくいったか」「この言葉で，かえって怒らせてしまった」といった経験を複数で共有し，医療者間で対応を揃えていくのもよいでしょう．

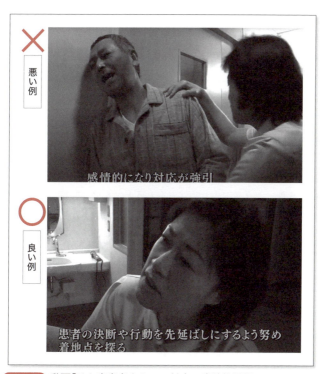

図12 動画「せん妄患者さんへの対応〜病院施設編〜」

＊患者さんは，精神科医が演じています．

せん妄の患者さんには個別性があり，決していつもうまくいくとは限りません．医療者が傷つき，無力感を感じたり，自信を失ったりするだけでなく，不安や恐怖感を引きずったりすることもあります．このように，**医療者自身のメンタルヘルスも大切である**ため，独りで抱え込まず上司に相談したり，同僚に話を聞いてもらったりと，言語化することも大切です．

また，医療者自身の安全確保も，きわめて重要な問題です．患者さんの怒りがさらにエスカレートする際には，**「患者のサポート」から「リスクの減少」に焦点を変える必要があります**．せん妄の場合，患者さんは意識障害をきたしたなかで暴力に至るケースがほとんどで，それが本意でない可能性が高いと考えられます．そこで，患者さんを加害者にさせないという意味でも，せん妄でみられる暴力が大きな医療事故につながらないよう，警備・保安体制を強化することが大切です．それに加えて院内の暴力対応・防止マニュアルを整備し，それに沿った対応を心がけましょう．

もし暴力が発生した場合は，**決して一人で対応しようとせず，人を呼ぶこと・人を集めることが重要**です．また，院内の緊急連絡先についても，必ず知っておく必要があります．その他，せん妄ハイリスクの患者さんにはビンやペン，ハサミなどの危険物を持たせないようあらかじめ注意を払うとともに，医療者自身も暴力を受けることが少なくなるよう，適切な対応方法に関する知識とスキルを習得するための勉強会などを定期的に行うのがよいでしょう．

このように，医療者が患者から受ける暴力行為は，決して職業柄やむを得ないものと考えるのではなく，予防対策に加えてスタッフ教育を徹底すべきです．代表的な取り組みとして，包括的暴力防止プログラム（Comprehensive Violence Prevention & Protection Programme：CVPPP）があり，「対話による興奮状態への介入法（ディエスカレーション）」や「身体的介入技法」などの習得が可能です．

⑥ その他

　術後などで患者さんが発声ができない場合では,筆談だけでなく文字盤やタブレットを利用するなど,コミュニケーションのとり方を工夫する必要があります.筆談は一般によく用いられており,比較的簡単に行うことができます.書いているうちに字が崩れたり,字どうしが重なったりして読みづらくなることもありますが,**書いているところを患者さんの後ろ側から見る**ことで字の軌跡をなぞらえることができ,把握しやすくなります.患者さんに断りを入れて,できれば背後から確認しましょう.なお,**太いサインペン**は患者さんが握りやすく,文字も見やすくなるようです.

　また,高齢者では難聴の場合があるため,注意が必要です.ただし,難聴があっても,あたかも聞こえているかのようにうなずくことも多いため,何を聞いても首を縦にふる場合は難聴の可能性を考え,**同じ質問を違う角度から尋ねる**(「痛いですか?」「はい」「痛くはないですか?」「はい」→難聴の可能性大)ことも有効です.そして,もし難聴がある場合は,積極的に補聴器をつけてもらいます.また,どちらの耳が聞こえやすいかを確認し,大きな声でハッキリと,ゆっくり話しかけましょう.なお,老人性難聴では,特に高音域が聞きとりにくくなるため,できるだけ低い声で話すのがポイントです.

　最後に,せん妄では理解力が低下するため,主に**クローズドクエスチョン**を用いるのがよいでしょう.例えば,「調子はいかがですか?」「気になることは何ですか?」ではなく,「痛みはありますか?」「痛いのは手ですか? 脚ですか? それとも他のところですか?」など,具体的に選択肢をあげながら尋ねるといった工夫が重要です.

●せん妄患者の意思決定支援

　患者さんは,入院経過中に意思決定を求められることがありま

す．例えば，がん患者さんであれば，治療方針や療養場所などについて，複数の選択肢のなかから自らの意思で決定することになります．

ただし，そのようなときにせん妄をきたすと，意識障害や認知機能障害などによって，本人の意思確認が困難となります．医療者は，「本人に説明しても理解できないから，家族と決めよう」などと安易に考えがちですが，これは倫理的にも法的にも大きな問題です．たとえせん妄の患者さんであっても，「本人には意思があり，意思決定能力を有する」ということを前提に，意思決定支援を行うことがきわめて重要です．

せん妄の患者さんは，ケースによって重症度が大きく異なるため，一律に「意思決定能力なし」などと判断することはできません．さらに，症状に日内変動があるため，時間帯によって理解力などに差がみられます．そこで，医療者はせん妄の特徴をよく踏まえながら，患者さんの意思決定支援を行いましょう．そして，十分な支援を行っても患者さん自身で決めるのが難しい場合，家族を含めた多職種チームが本人の意思の推定を行い，可能な限り本人の意向を反映させるようにつとめます．

意思決定支援のプロセスは，「適切な環境のもとで，正確な情報を提供することで本人が意思を形成し，その意思を表明できるように支援する」ということです．ここでは，このプロセスに沿って，せん妄の患者さんの意思決定支援における留意点を具体的に解説します．

1）適切な環境

情報を伝える前に，まずは場の設定が重要です．せん妄では注意障害がみられることから，話に集中できるよう，静かな場所を選びましょう．また，同席者が多すぎると，患者さんの緊張感が強くなるだけでなく，そちらに気が逸れてしまうこともあるため，必要最小限の人数にするのがよいでしょう．

その他，せん妄では症状に日内変動があり，夕方以降は混乱し

ていることも多いため,説明はできるだけ日中に行いましょう.

なお,高齢者では難聴の有無に注意し,補聴器の使用や,なるべく低い声で話すなど,コミュニケーションの工夫も大切です.

2)意思の形成と表明

せん妄では,注意障害や記憶障害をみとめるため,長い文章では集中が続かず,十分理解することが困難となります.そこで,ゆっくりと,短い文章で,わかりやすい言葉を使って,具体的に説明しましょう.また,重要な点についてはくり返し説明することも有効です.

説明の内容をどの程度理解しているかについては,患者さんに,自らの言葉で具体的に話してもらうのがよいでしょう.ただし,せん妄の患者さんは注意障害をみとめており,長い説明ができないこともあります.そのような場合は,医療者が具体的な選択肢を提示し,そのなかから選んでもらうようにします.できれば,各選択肢のメリットとデメリットを明確にして,絵や図表などの視覚情報を用いながら,わかりやすい説明を心がけましょう.

×「Aですか?」
△「Aですか? Bですか?」
○「Aですか? Bですか? それとも,それ以外ですか?」(それぞれのメリット・デメリットを書いた紙を示しながら尋ねる)

また,せん妄の患者さんでは,何を尋ねても「はい」と答えることがあります.一見すると理解しているように見えてしまうため,できるだけ逆の角度からも質問をしてみましょう.

「Aがいいですか?」
「はい」
……
……

> 「ところで，Aはいやですか？」
> 「はい」
> ➡この場合，患者さんの意思が「A」とは限らない

　せん妄では記憶障害がみられるため，説明の内容は紙に書いてお渡しし，後から何度でも読み返せるようにしておきましょう．また，時間をあけたり，人を変えたりして，くり返し確認することもきわめて重要です．そのうえで，患者さんが表明した意思に一貫性があるか，その信条や生活史，価値観などと整合性があるか，さらには理由に合理性があるかどうかなどについて検討します．これらに大きな問題がなければ，患者さん自身の意思であると推測できます．

　最後に，意思決定能力とは，「患者さん自身の能力」だけでなく，「医療者の支援能力」が加わったもののことです．つまり，いかにサポートするかが患者さんの意思決定を大きく左右するため，まさに医療者の腕にかかっているといえます．ぜひ，ご家族も含めた多職種チームで，さまざまな観点から十分なサポートを行い，患者さんが表明した意思の実現につとめましょう．

せん妄への対応のメリット・デメリットを考える

① 対応のメリット・デメリット

　せん妄への対応では，その結果としてメリットとデメリットの両方が存在することがあります．したがって，今から行おうとしている対応に，どのようなメリットとデメリットがあるかについて，前もって評価することが大切です（表13）．そして，メリットがデメリットを上回ると判断される場合にその対応を実施する

とともに，デメリットを最小限におさえる必要があります．

表13 せん妄対応のメリット・デメリット

対応	メリット	デメリット
ツールの使用	・せん妄の見逃しの防止 ・せん妄に対する医療者の意識が高まる	・医療者の業務量の増大 ・継続した実施が困難
輸液	・脱水によるせん妄の改善	・胸水・腹水の悪化
リハビリテーション	・日中の覚醒度が上がり，夜眠りやすくなる ・リラクゼーション効果 ・孤独感の軽減 ・せん妄の予防	・身体的苦痛 ・疲労による昼寝が，かえって夜間の不眠につながる
尿道カテーテル留置	・排尿の負担軽減 ・転倒の防止	・身体的苦痛（不快感） ・せん妄の悪化(促進因子)
身体拘束	・転倒やライン抜去の防止 ・薬剤による副作用の回避	・身体的・精神的苦痛 ・せん妄の悪化(促進因子) ・静脈血栓や褥瘡のリスク
ナースステーションでの経過観察	・転倒やライン抜去の防止	・精神的苦痛（尊厳やプライバシー）
個室	・ふだんの生活に近くなるように時間の流れやベッド周囲を調節できる	・孤独感や不安感 ・金銭的負担
家族の付き添い	・本人の安心感	・家族の身体的・精神的負担
薬物療法	・不眠や興奮の改善	・過鎮静やパーキンソン症状などの副作用 ・ともすれば非薬物療法の軽視につながる
鎮静	・耐えがたい苦痛を和らげることができる	・コミュニケーションがとれなくなる

例えば，せん妄の評価にツールを使うと見逃しが少なくなり，せん妄に対する医療者の意識向上につながる反面，業務量が増えてしまい，結果的に続かない可能性があります．また，脱水によるせん妄では，輸液をすることが必ずしもベストではなく，状態

によっては胸水や腹水の悪化につながり，患者さんの苦痛がさらに強くなるかもしれません．

② 身体拘束の実状

身体拘束には，抑制帯の使用だけでなく，4点柵，ミトン型の手袋，腰ベルト，車いすテーブル，介護服（つなぎ）などが含まれます．また，薬剤を必要以上に多量に用いることも「薬剤性拘束」とよばれ，身体拘束の1つに含まれることがあります．

身体拘束禁止の対象となる具体的な行為

介護保険指定基準において禁止の対象となっている行為は，「身体的拘束その他入所者（利用者）の行動を制限する行為」である．具体的には次のような行為があげられる．

1. 徘徊しないように，車いすやいす，ベッドに体幹や四肢をひも等で縛る．
2. 転落しないように，ベッドに体幹や四肢をひも等で縛る．
3. 自分で降りられないように，ベッドを棚（サイドレール）で囲む．
4. 点滴・経管栄養等のチューブを抜かないよう，四肢をひも等で縛る．
5. 点滴・経管栄養等のチューブを抜かないように，または皮膚をかきむしらないように，手指の機能を制限するミトン型の手袋等をつける．
6. 車いすやいすからずり落ちたり，立ち上がったしないように，Y字型拘束帯や腰ベルト，車いすテーブルをつける．
7. 立ち上がる能力のある人の立ち上がりを妨げるようないすを使用する．
8. 脱衣やおむつはずしを制限するために，介護衣（つなぎ服）を着せる．
9. 他人への迷惑行為を防ぐために，ベッドなどに体幹や四肢をひも等で縛る．
10. 行動を落ち着かせるために，向精神薬を過剰に服用させる．
11. 自分の意思で開けることのできない居室等に隔離する．

文献5より引用

身体拘束は原則として許されない行為であり，患者さんの人権や苦痛などを考慮すると，可能な限りゼロにすべきです．また，身体拘束はせん妄の促進因子となることからも，決して安易に行うべきではありません．ただし，例えば抗凝固薬を内服中のため転倒・転落することによって大量出血のリスクが高い場合や，ライン類の自己抜去によって生命に危険が及ぶ可能性がある場合など，危機的状況が強く予見されるケースでは，身体拘束もやむを得ないと考えられます．

　身体拘束を行う際には，①**切迫性**，②**非代替性**，③**一時性**，の3原則（表14）に従って現状を整理し，多職種で十分検討を重ねる必要があります．身体拘束の理由として，「転倒されるとわれわれが責任を問われるので」「興奮しているとわれわれが手をとられるので」などと，主語を「われわれ（医療者）」にするのではなく，「患者さんが安全に治療を継続できるために」のように，あくまでも「患者さん」であることが大切です．

表14　身体拘束の原則

①切迫性	患者本人または他の患者などの生命または身体が危険にさらされる可能性が著しく高いこと
②非代替性	身体拘束その他の行動制限を行う以外に代替する方法がないこと
③一時性	身体拘束その他の行動制限が一時的なものであること

　もし身体拘束を実施する場合は，事前に患者さんやご家族に説明をしたうえで，同意書にサインをもらいます．そして，身体拘束の実施後には毎日多職種でカンファレンスを行い，その評価や検討内容などを確実に診療録に記載するようにしましょう．

　身体拘束はしばしば長期化しがちなため，3原則の中でも，**特に「③一時性」を念頭に置いて定期的な評価を行い**，できるだけすみやかに解除することを肝に銘じておきましょう．せん妄の患者さんにおける拘束解除の目安は，せん妄の直接因子（身体疾患

や薬剤など)が除去されたタイミングです.ケースによっては,**短時間の解除**や**拘束部位を減らす**など,部分的に解除を行うのもよいでしょう.もし身体拘束を長く続けざるを得ない場合は,体位変換や両下肢の挙上・伸展,弾性ストッキングの着用や間欠的空気圧迫装置の装着を行って深部静脈血栓症などの予防につとめ,血液検査でD-ダイマーなどを定期的にフォローする必要があります.

身体拘束中に注意すべき合併症

- 嘔吐による誤嚥・窒息
- 誤嚥性肺炎
- 深部静脈血栓
- 肺血栓・塞栓症
- 褥瘡

参考文献

1) Harper CG, et al : Clinical signs in the Wernicke-Korsakoff complex: a retrospective analysis of 131 cases diagnosed at necropsy. J Neurol Neurosurg Psychiatry, 49 : 341-345, 1986
2) Caine D, et al : Operational criteria for the classification of chronic alcoholics: identification of Wernicke's encephalopathy. J Neurol Neurosurg Psychiatry, 62 : 51-60, 1997
3) 「臨床精神神経薬理学テキスト 改訂第3版」(日本臨床精神神経薬理学会専門医制度委員会/編),pp487-489,星和書店,2014
4) 「パーキンソン病診療ガイドライン2018」(日本神経学会「パーキンソン病診療ガイドライン」作成委員会),pp245-249,医学書院,2018
5) 「身体拘束ゼロへの手引き」(厚生労働省「身体拘束ゼロ作戦推進会議」,2001:http://www.fukushihoken.metro.tokyo.jp/zaishien/gyakutai/torikumi/doc/zero_tebiki.pdf
6) 「Diagnostic and Statistical Manual of Mental Disorders, 5th ed (DSM-5)」(American Psychiatric Association), American Psychiatric Publishing, 2013

＊せん妄に関するカンファレンスのヒント

興奮が強いせん妄の患者さんの対応などを話し合う目的で，病棟カンファレンスを開くことがあると思います．カンファレンスのポイントは，以下のとおりです．

●多職種で行う

せん妄は多要因が複雑に絡み合って発症するため，できるだけ多職種が参加し，それぞれの知識や経験などをもち寄ってディスカッションすることがきわめて有効です．

●「3因子と対応」の表を利用する（オススメ）

カンファレンスでは，思いついた意見を次々に挙げていくのではなく，その患者を「せん妄の3因子」で整理し，各因子の項目ごとに対応を話し合うのが効率的です．例えば，以下のような表をホワイトボードに書き，空欄を埋めるようにしましょう．

	内容	対応
準備因子	・認知症（見当識障害）	・カレンダーや時計の設置
	・せん妄の既往	・前医で使った薬剤の問い合わせ
	・ゾルピデム・ブロチゾラム	・精神科医に相談
	・ファモチジン	・オメプラゾールに変更
直接因子	・肺炎	・抗菌薬の変更
	・低ナトリウム血症	・ナトリウムの補正
促進因子	・便秘	・水分摂取を促す
	・不安 ……	・家族の付添 ……

まずは，準備因子をあげてみましょう．すでに説明したように，準備因子はせん妄の予防に活かすことができます．例えば認知症の場合，患者さんが苦手なことを明らかにし

て，それをサポートすることを考えます．また，せん妄の既往があれば薬剤選択に活かせますし，アルコール多飲では場合によっては離脱症状の予防，そしてベンゾジアゼピン受容体作動薬を内服している場合は減量・中止や他剤への変更などを考えます．

次に，直接因子については，p49 を参考にして身体的精査や薬剤の確認などを行い，それらを取り除くための治療を行います．ただし，直接因子は複数が重なっていることが多いため，幅広い視点から評価する必要があります．

最後に，促進因子です．p95 を参考に，積極的なケアや環境調整などを行いましょう．

●メリット・デメリットを天秤にかけて考える

すでに説明したように，例えば脱水が原因のせん妄では，輸液を行うことでせん妄の改善が見込める場合もあります．ただし，胸水や腹水の悪化によって，患者さんの苦痛が強まる可能性がある場合，逆に輸液は控えたほうがよいかもしれません．このように，せん妄の対応には一長一短がある場合が多いため，天秤にかけて検討することが重要です．

●個別性を重視する

有効なせん妄対策を行うために，まずは標準的なせん妄対策について十分理解しておくことが必要です．ただし，決してマニュアル一辺倒ではなく，患者さん個々の心理・社会的背景などを考慮して，対策内容を柔軟にアレンジすることが大切と言えるでしょう．

応用編

応用編では,せん妄が起こるシチュエーションごとの対応を,「せん妄ハイリスク患者ケア加算」の流れに沿って解説していきます.

応用編

1章 術後せん妄（ICUにおけるせん妄）

はじめに

- 近年になって，高齢者への手術適応が拡大しており，術後せん妄は年々増加傾向にあります．
- 術後せん妄は，**術後認知機能障害**（PostOperative Cognitive Dysfunction：**POCD**）と関連するため，特に予防が重要です．
  - ➡ POCDは術後合併症の1つで，せん妄を発症した患者にみられることが多く，記憶力や言語能力の障害などが長期間続きます．
- 術後せん妄は，「術前」「術後」という2つのフェイズに分けることで，効果的な対策が可能となります．
- 術前は，手術が決まった外来の時点から，せん妄の予防対策をはじめましょう（せん妄の説明や内服薬の確認など）．
- 不眠がせん妄の促進因子となるため，積極的に薬物療法を行いましょう（図1）．

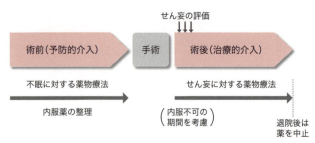

図1 術後せん妄と薬物療法

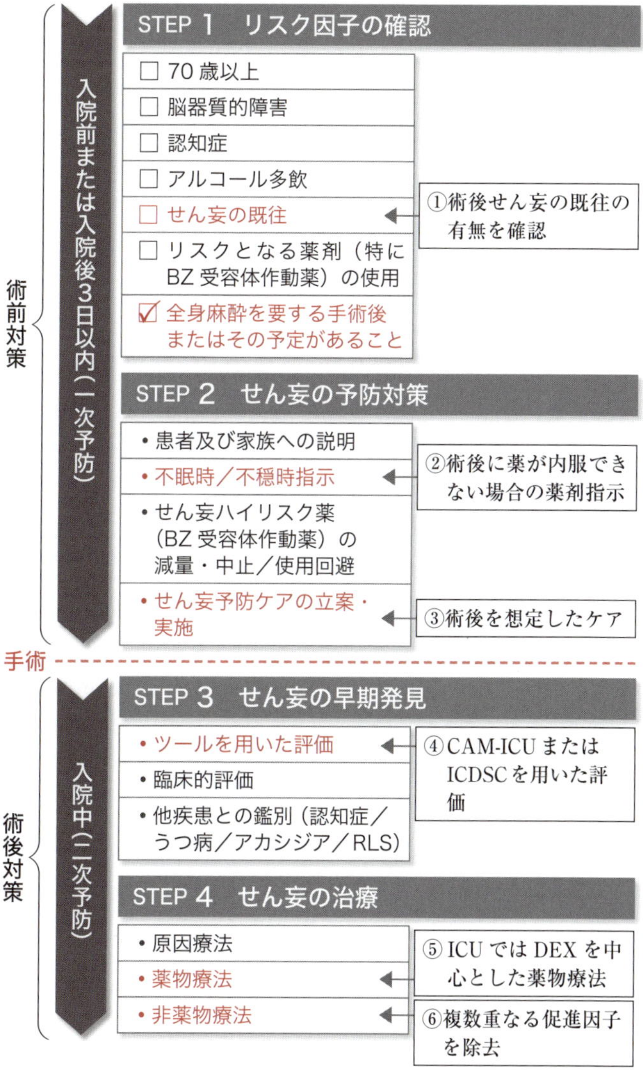

STEP 1 リスク因子の確認

術前対策 / 入院前または入院後3日以内（一次予防）

- ☐ 70歳以上
- ☐ 脳器質的障害
- ☐ 認知症
- ☐ アルコール多飲
- ☐ せん妄の既往 ← ①術後せん妄の既往の有無を確認
- ☐ リスクとなる薬剤（特にBZ受容体作動薬）の使用
- ☑ 全身麻酔を要する手術後またはその予定があること

STEP 2 せん妄の予防対策

- 患者及び家族への説明
- 不眠時／不穏時指示 ← ②術後に薬が内服できない場合の薬剤指示
- せん妄ハイリスク薬（BZ受容体作動薬）の減量・中止／使用回避
- せん妄予防ケアの立案・実施 ← ③術後を想定したケア

―― 手術 ――

STEP 3 せん妄の早期発見

術後対策 / 入院中（二次予防）

- ツールを用いた評価 ← ④CAM-ICUまたはICDSCを用いた評価
- 臨床的評価
- 他疾患との鑑別（認知症／うつ病／アカシジア／RLS）

STEP 4 せん妄の治療

- 原因療法
- 薬物療法 ← ⑤ICUではDEXを中心とした薬物療法
- 非薬物療法 ← ⑥複数重なる促進因子を除去

図2 「せん妄ハイリスク患者ケア加算」の流れに沿った術後せん妄対策

DEX：デクスメデトミジン

- 術後せん妄では,原則として薬物療法(主に抗精神病薬)と非薬物療法(促進因子の除去)の2つを行います.
- 術後せん妄は可逆性であり,退院後は薬物療法が不要となるため,漫然と処方し続けないように注意しましょう.

> **STEP 1** せん妄のリスク因子の有無を確認する

① 術後せん妄の既往の有無を確認

- 外来で手術のオリエンテーションなどを行う際,もし可能であれば術前評価の1つとして,**せん妄のリスク評価をルーチン化**しておきましょう.
- STEP 1 のリスク因子のうち,術後せん妄については**「せん妄の既往」が特に術後せん妄のハイリスク因子になるため**[1],過去にせん妄(特に術後せん妄)があったかどうかを確認することが大切です.
- せん妄の既往が把握できれば,その際に使った治療薬や用量を確認しておくことで,術後せん妄を発症した際の治療薬選択や用量設定の参考にすることができます(p47 参照).
- 消化器系疾患や頭頸部がんなどの手術予定患者は,アルコール多飲のケースが多いため,準備因子としてだけでなく**アルコール離脱せん妄のリスク**も含めて評価を行いましょう(p220 参照).

STEP 2　せん妄の予防対策を行う

② 術後に薬が内服できない場合の薬剤指示

- 術後に薬が内服できない期間があるかについて，あらかじめ確認しておきましょう．
- もし内服できない期間があれば，**不眠時／不穏時の指示を，内服不可の場合も含めて出しておく必要があります**．
- ただし，以前に比べると，周術期でも内服不可の期間は短くなっているだけでなく，経鼻胃管が入っていることも多くあります．
- 胃管がある場合，内服不可時の指示は必ずしも注射薬でなくても，粉末化などによって胃管からの投与が可能です．

術後せん妄ハイリスク患者への不眠・不穏時指示の例

【不眠時】
〈内服可能時〉
- トラゾドン 25 mg　30 分以上あけて計 3 回まで OK

〈内服不可時〉
胃管がない場合
- ハロペリドール注(5 mg/A)0.5 A ＋生食 20 mL
  側管からワンショット　30 分以上あけて計 3 回まで OK

胃管がある場合
- トラゾドン 25 mg（粉末化）　30 分以上あけて計 3 回まで OK

【不穏時】
〈内服可能時〉
糖尿病がない場合
- クエチアピン 25 mg　30 分以上あけて計 3 回まで OK

糖尿病がある場合
- リスペリドン液 0.5 mL　30 分以上あけて計 3 回まで OK

> **〈内服不可時〉**
>
> **胃管がない場合**
> - ハロペリドール注(5 mg/A) 1 A ＋生食 20 mL
>   側管からワンショット　30 分以上あけて計 3 回まで OK
>
> **胃管がある場合(糖尿病がない場合)**
> - クエチアピン細粒 25 mg　30 分以上あけて計 3 回まで OK
>
> **胃管がある場合(糖尿病がある場合)**
> - リスペリドン液 0.5 mL　30 分以上あけて計 3 回まで OK

- ベンゾジアゼピン受容体作動薬を長期内服(6 カ月以上)している場合,術後に内服できない期間があると,離脱せん妄を起こす可能性があります.したがって,坐剤や注射薬などの**代替薬**を使用するとともに,等価換算表(**実践編 1 章 表 14, p88**)を参考にして投与量を決めましょう.

> **ベンゾジアゼピン受容体作動薬が内服できない際の代替薬**
> ＊カッコ内は商品名
>
> - ブロマゼパム坐剤　肛門から挿入
>   ※添付文書によると,ブロマゼパム坐剤 3 mg とブロマゼパム錠剤(レキソタン)5 mg の効果がほぼ同程度とされている
>
> - ジアゼパム(ダイアップ)坐剤　肛門から挿入
>   ※小児用であり,成人に対しては保険適用外である
>
> - ジアゼパム(セルシン,ホリゾン)静注・筋注
>   ※筋注は筋肉内で結晶化しやすいことなどから,経口投与より効果発現が遅くかつ弱い
>
> - フルニトラゼパム(サイレース)点滴静注
>   ※呼吸抑制などに十分な注意が必要である

③ 術後を想定したケア

- 手術がはじめての患者さんは,特に不安・緊張が強いため,場合によっては前もって ICU の見学を行い,ICU がどのような

- 場所なのかをイメージできるようにしてもらいましょう．
- ICUのスタッフや，理学療法士・作業療法士など，術後にかかわる医療スタッフと前もって顔合わせをしておくことは，患者さんの安心感につながります．
- 術後に気管切開などで発声ができなくなることが想定される場合は，液晶タブレットやタッチペン，文字盤など，コミュニケーション・ツールの使い方を術前から練習しておくのもよいでしょう．
- 難聴の患者さんのせん妄対策では，一般的に補聴器の確実な着用が推奨されています．ただし，**ICUはさまざまな音で睡眠が妨げられる環境となり，耳栓をすることがせん妄予防につながる**という報告[2]があるため，ICUでは夜間はあえて補聴器をはずしておくのがよいでしょう．
- 環境面では，せん妄になりやすい順に，①**ICU**，②**大部屋廊下側**，③**大部屋窓側**，④**個室**，とされています[3]．ただし，例えばふだんから社交的な患者さんの場合，術後は個室よりも大部屋の方がよいかもしれません．
- このように，「何が患者さんの快適さにつながるか？」という，患者さん目線で考えることが大切です．
- 夜間の睡眠を確保するために，ICUでは特に表1のような介入を心がけましょう．これらのケアをルーチン化することは，術後せん妄の予防につながる可能性があります．

応用編

表1 ICUにおける不眠の改善を目的とした介入

音	・ドアを閉める（個室の場合） ・夜間はモニターを夜間モードに切り替える（音を下げる） ・夜間は電話の音量を下げる ・ベッドサイドでは患者に関すること以外の会話（雑談）をしない ・スタッフは訪問者と静かに話す ・耳栓を使用する
光	・夜間は明かりを薄暗くする ・夜間に患者のケアを行う場合はベッドサイドの照明を使用する ・アイマスクを使用する
ケア	・可能であれば複数のスタッフでケアを行う（時間短縮につながる） ・夜間は口腔ケアや清拭などのケアは避ける ・8時間のシフトごとに時間，場所，日付を患者に伝える ・患者が眠れない場合やCAM-ICU陽性の場合は，24時間以内に薬の見直しを行う ・疼痛スコアを評価し，最適化をめざして迅速に対応する ・可能な限り早期離床を進める

文献4より

STEP 3 せん妄の早期発見につとめる

④ CAM-ICUまたはICDSCを用いた評価

- 術後せん妄は，**手術後3日以内に発症することが多いため，その間は特にアンテナの感度を上げる必要があります**．
- それとともに，ICUでは，CAM-ICUまたはICDSCを用いた評価をなるべくルーチン化しておきましょう．各ツールの特徴や項目内容，メリット・デメリットについては，p102をご参照ください．ここでは，両者の違いを表2にまとめておきます．
- 実践編でも解説したように，ツール以外にも注意障害の有無を確認するなど，臨床的な評価を行いましょう．
- 気管切開で発声ができない場合は，積極的に液晶タブレットや文字盤などを活用するほか，表情やしぐさなど，非言語的な情

表2　CAM-ICU および ICDSC の違い

	CAM-ICU	ICDSC
測定時期	1日複数回測定 (1回は夜勤帯)	8時間のシフトごと，もしくは24時間以内の情報に基づいて測定
測定方法	言語・非言語検査	行動観察と診療録記載から
患者の協力	必要	不要
検査項目数	4項目	8項目
採点・判定	2分法で陽性か陰性かを判定	0〜8点 4点以上が陽性
鎮静時の注意点	鎮静の有無にかかわらず評価	「意識レベルの変化」の項目は評価しない
人工呼吸器装着有無	関係なく測定可能	
注意すべき解釈	検査測定時の状態を反映	1日トータルの状態を反映

報にも着目しましょう．
- 筆談の際には，患者さんが握りやすいように太いサインペンを利用し，医療者は断りを入れて患者さんの背後に回り，書いているところを後ろ側から見ることで字の軌跡をなぞらえるようにしましょう．
- 手術室の看護師は，術前・術後に患者さんを訪問することがあります．せん妄の発症をいち早く見つけるポイントは，患者さんの「以前と違う」変化に気づけるかどうかです．ぜひ，**患者さんの「ビフォー&アフター」を意識しておきましょう**．
- 術後やICUでは，一見落ち着いているように見えても，麻酔薬の影響でせん妄がマスクされているケースや，低活動型せん妄の場合がよくあります．したがって，不穏がないからといって，低活動型せん妄を見逃さないことがきわめて大切です．

STEP 4　せん妄の治療を行う

⑤ ICU では DEX を中心とした薬物療法

- 術後せん妄を発症した場合，治療的介入として直接因子（手術）をとり除くことはできないため，原則として**薬物療法（主に抗精神病薬）と非薬物療法（促進因子の除去）の2本立て**になります（図3）．

図3　術後せん妄に対する治療的介入

- 薬物療法を行う際の注意点として，例えば術後にICUでせん妄を発症した際，身体的重症度が高い場合は無理に抗精神病薬を用いず，麻酔科医主導で麻酔薬のデクスメデトミジン（プレセデックス：DEX）などを使いながら身体管理を行います．
- 身体的に落ち着いてくれば転棟がみえてくるため，その段階で病棟でも使える抗精神病薬などに切り替えていくのがよいでしょう．その場合でも，できるだけ少量から開始することが重要です．
- **フェンタニルやミダゾラム**などはせん妄ハイリスク薬であるため，なるべく使用を避けるのがよいでしょう．

- その他,腹部手術の術後合併症などでイレウスがみられた場合には,内服薬の投与ができません.その際には,抗コリン作用が弱く,イレウスの悪化リスクが低いハロペリドールを注射で用います.
- 注射薬で投与可能な抗精神病薬のうち,クロルプロマジンは抗コリン作用が比較的強いため,イレウスの患者さんへの投与は避けましょう.

⑥ 複数重なる促進因子を除去

- 術後は複数の促進因子をみとめますが,ICUにいる間はその数がきわめて多くなります(表3).したがって,常に引き算を意識して,少しでも促進因子をとり除くよう努めましょう.

表3 術後に想定される促進因子

身体的苦痛	・不眠 ・搔痒感 ・強制臥床 ・胃管 ・抑制帯 ・フットポンプ	・疼痛 ・便秘 ・酸素マスク ・ドレーン ・ミトン	・口渇 ・尿閉 ・輸液ルート ・膀胱留置カテーテル ・4点柵 など
精神的苦痛	・不安	・抑うつ	・面会制限　など
環境変化	・無機質な部屋 ・アラーム音 ・離床センサー	・明るさ ・搬送音 ・転棟・転室	・モニター音 ・ICU など

- 患者さんにとって不快な身体症状が出現しないように,不眠,痛み,便秘,脱水,低栄養などを定期的にモニタリングします(p93参照).
- 特に,術後は痛みがせん妄の促進因子となり,せん妄の惹起や悪化につながります.したがって,積極的に鎮痛薬の投与を行うなど,痛みをコントロールすることが重要です.
- ただし,患者さんが顔をしかめていたり,大声をあげていたり

するからといって，すぐに痛みと判断して対応するのではなく，必ずせん妄の可能性について評価を行いましょう(p185参照).
- 術後はライン類が増える傾向にありますが，可能なかぎり早期に抜去することを検討します．なるべく患者さんに拘束感を与えないよう，固定方法などを工夫するのがよいでしょう．
- 言うまでもなく，原則として身体拘束は行うべきではありません(p198参照).
- 術後は**早期離床がポイント**になるため，積極的にリハビリテーションを行いましょう．低活動型せん妄をきたした場合，うつ病などと判断されてリハビリテーションが回避されることもあるため，十分注意が必要です．
- 一般的なせん妄の場合，直接因子をとり除かない限り，自宅退院となってもせん妄は改善しません．ただし，術後せん妄に限っては，身体的に落ち着けば早めにICUから病棟へ，病棟から家へ，が望ましいと考えられます．

術後の注意点

- 術後せん妄は，**1週間もすればおさまってくる**ため，それを目安に徐々に薬剤を減量していくのがよいでしょう．
- 具体的には，術後せん妄が改善し，翌朝に眠気が残るようになれば，積極的に減量・中止を行います．これは，「もともと薬は飲んでいなかったため，本来の体調に近づくにつれて薬の効果が強く出るようになった」と考えられるからです．
- そこで，医療者の評価だけで減量・中止を決定するのではなく，患者さんに「睡眠のリズムが整ってくると，薬の影響で翌朝に眠気が残ることがあります．そうなったら，薬を減らすタイミングと考えられますので，ぜひ教えてください」と伝えておく

のがよいでしょう．

- もし1週間以上経過しても術後せん妄が長引いている場合は，**①新たな直接因子が加わった可能性**（例えば誤嚥性肺炎などの術後合併症），もしくは**②促進因子のコントロールが不十分な可能性**（例えば痛みや便秘など）のいずれかを考え，再評価を行いましょう．
- **退院後は，原則として薬剤を中止**します．入院中のせん妄発症をきっかけに，薬剤を漫然と長期投与することのないよう，医師は肝に銘じておく必要があります．
- 抗精神病薬を長期間内服すると，投与初期にはみられなかった副作用（遅発性ジスキネジア：「口をモグモグ」「目をパチパチ」）が起こる可能性があるため，特に注意が必要です．
- もし術後早期に転院する場合は，その環境変化が促進因子となって術後せん妄が長引くこともあるため，せん妄は改善傾向にあっても転院までは薬剤を同量で継続し，転院先で薬剤の減量・中止を行うのがよいでしょう．その際には，薬剤の減量・中止の必要性について，情報提供書を書いておくことが望ましいと考えられます．

参考文献

1) Litaker D, et al：Preoperative risk factors for postoperative delirium. Gen Hosp Psychiatry, 23：84-89, 2001
2) Van Rompaey B, et al：The effect of earplugs during the night on the onset of delirium and sleep perception: a randomized controlled trial in intensive care patients. Crit Care, 16：R73, 2012
3) Caruso P, et al：ICU architectural design affects the delirium prevalence: a comparison between single-bed and multibed rooms*. Crit Care Med, 42：2204-2210, 2014
4) Patel J, et al：The effect of a multicomponent multidisciplinary bundle of interventions on sleep and delirium in medical and surgical intensive care patients. Anaesthesia, 69：540-549, 2014
5) 「日本版・集中治療室における成人重症患者に対する痛み・不穏・せん妄管理のための臨床ガイドライン」（日本集中治療医学会 J-PADガイドラン作成委員／編），日集中医誌，21：539-579, 2014

応用編

Column

＊岡山大学病院せん妄対策チームの取り組み

　岡山大学病院せん妄対策チーム（2011 ～ 2020 年）の取り組みについて，簡単に紹介します．

　当院では年間約 10,000 件の手術が行われており，年々増加傾向にあります．それに伴って，病棟や ICU では，術後せん妄対策が従来から問題となっていました．そこで，2011 年に精神科リエゾンチームが周術期管理センター，薬剤部，医療安全管理部と連携してせん妄対策チームを立ち上げ，術後せん妄の一次予防（外来～入院時）・二次予防（術後）を主たる目的とした活動を開始しました．

せん妄対策チームのミッション

1. 手術予定患者を対象に多職種連携による術後せん妄の予防対策を実施する
2. 院内における術後せん妄の予防対策システムを構築・整備する
3. プライマリースタッフへの教育的役割を担う

　まず，周術期管理センターに所属する外来看護師が，手術が決定した（消化管外科および呼吸器外科の）患者さんに対して，①70 歳以上，②脳器質性疾患の既往，③認知症，④アルコール多飲，⑤せん妄の既往，の 5 項目（準備因子）を評価します．そして，1 項目でも該当すればせん妄ハイリスクと考え，患者さんおよびご家族にパンフレットや動画を用いてせん妄について説明し，患者さんの同意を得たうえでせん妄対策チームに紹介します（数年を経て，②～⑤のうちの 1 項目以上を「せん妄ハイリスク」の基準に変更しました）．せん妄対策チームは，精神科医，看護師，公認心理師・臨床心理士，薬剤師，ゼネラルリスクマネー

ジャーといった多職種で構成されており、それぞれの専門性を活かした介入を行うのが特徴です。実際の介入内容については、図を参照してください。

図 当院せん妄対策チームの介入内容

各職種の役割を明確にすることによってそれぞれの自覚が芽生え、専門性を活かすことができるようになるなど、効果的・効率的なアプローチが可能となります。

その他、せん妄対策チームの介入によって「せん妄ハイリスク」という概念が浸透し、病棟スタッフが予防的な視点でかかわるようになってきました。実際、精神科リエゾンチームにはせん妄を発症した後の患者さんの紹介が減り、逆に「せん妄ハイリスク」の患者さんの紹介が増えてきました。また、これまでベンゾジアゼピン受容体作動薬が不眠時の約束指示となっていた病棟が指示を見直すようになったり、医師にもベンゾジアゼピン受容体作動薬の安易な使用を避けたりといった動きが出てきており、個人より

もチームからの推奨指示は尊重されやすいと感じています．

このような病棟スタッフへの教育的アプローチもせん妄対策チームの重要な活動の1つだったのですが，最初からすべての病棟にかかわることは現実的に難しいと思われます．実際，当院でもせん妄対策を必要と感じているかどうかは病棟間でかなり温度差があったため，まずは**せん妄が高頻度にみられ，かつ対応に困っている病棟から介入を開始**しました．その後，病棟スタッフの異動などにより他の病棟へも波及効果を認めるなど，病棟を限定して活動を開始したことが結果的に奏効したものと考えています．やはり，「実際に経験した人からのクチコミ」ほど，説得力があって効果的なものはありません．

ただし，当院においてこのようなシステマティックなせん妄対策が実施できるのは，大学病院ならではの豊富なリソースがあるからに他なりません．そこで，各病院の実情に合わせた，継続可能なせん妄対策を進めることが大切

表　当院せん妄対策チームが作成したもの

- せん妄対策ポケットマニュアル（小冊子）
- せん妄予防のためのアセスメントシート
- せん妄ハイリスク薬チェックシート
- せん妄に対する薬剤選択フローチャート
- せん妄患者紹介シート（テンプレート）
- せん妄ハイリスク患者に対する不眠時・不穏時の推奨指示（テンプレート）
- 認知症・せん妄が疑われる患者への対応の工夫（テンプレート）
- パンフレット「せん妄の予防と対策について」
- 動画「『せん妄』をご存知ですか？」
- 説明書（同意書）「せん妄の治療で用いる薬について」

思います.当院のせん妄対策チームの活動内容や工夫が,各病院におけるせん妄対策の一助となれば幸いです.

　なお,2020年に「せん妄ハイリスク患者ケア加算」が新設され,せん妄予防対策は病棟スタッフが主体的に取り組むようになりました.これを受けて,せん妄対策チームの活動はシステムづくりや病棟への出前講義など,後方支援にシフトしています.

応用編

2章 アルコール離脱せん妄

はじめに

- アルコール多飲の患者さんが入院した際，多量・長期間の飲酒が急に中断されることによって，アルコール離脱症状が出現することがあります．
- アルコール離脱症状には，小離脱と大離脱があり，大離脱のことを「アルコール離脱せん妄」とよびます（図1）．

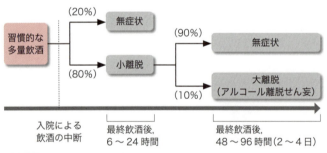

図1 入院における多量飲酒患者の小・大離脱出現の流れ[1]

- アルコール離脱せん妄は，発症率はそこまで高くないものの，**症状が激しく対応が困難であり，さらには死に至るケースもある**ため，実臨床では早期かつ適切な対応が求められます．
- 一般的なせん妄に対して，予防的に薬剤を投与することはほとんどありませんが，アルコール離脱せん妄では，予防的な薬物

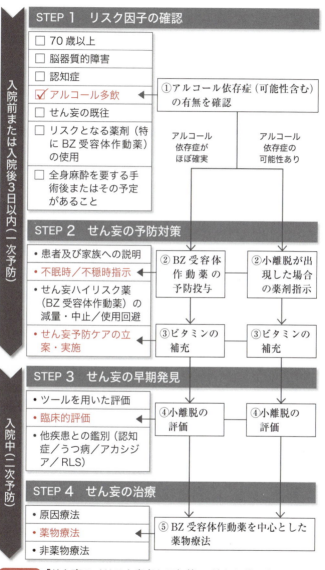

図2 「せん妄ハイリスク患者ケア加算」の流れに沿ったアルコール離脱せん妄対策

療法(ベンゾジアゼピン受容体作動薬)が奏効します.
- ただし,アルコール多飲者でもその20%は無症状で経過します.また,もし小離脱がみられても,大離脱に至るのはそのうちの10%程度です.**安易なベンゾジアゼピン受容体作動薬の投与は,転倒・転落や薬剤性せん妄につながるため,アルコール多飲者全例に対して入院時から薬剤を予防投与することは,本書では推奨しません.**そこで,次のように「アルコール依存症」がほぼ確実な場合と,疑わしい場合に分けて考えます.
- 「アルコール依存症」であることがほぼ確実で,アルコール離脱せん妄を発症する可能性がきわめて高いと考えられる場合には,予防的な薬物療法を行いましょう.
- また,**「アルコール依存症」が疑わしい場合は,小離脱が出現した場合の薬剤指示をあらかじめ出しておき,小離脱がみられたらそれを使うとともに,直ちに予防的な薬物療法を行いましょう.**

STEP 1 せん妄のリスク因子の有無を確認する

① アルコール依存症(可能性含む)の有無を確認

- 「アルコール多飲」は,**一般的なせん妄の準備因子**というだけでなく,場合によっては**アルコール離脱せん妄のハイリスク**,つまり,直接因子にもなりえます(実践編1章 図7,p44参照).
- 例えば,アルコール依存症の患者さんが入院し,急な断酒を余儀なくされた場合,アルコール離脱せん妄を発症する可能性があります.
- そこで,「アルコール多飲」と評価した場合には,表1の5つの項目について,十分確認する必要があります.
- ①または②に該当する場合,「アルコール依存症」がほぼ確実で

アルコール離脱せん妄を発症する可能性がきわめて高いため，予防的な薬物療法(ベンゾジアゼピン受容体作動薬)を行います．
- ①または②はないものの，③〜⑤のいずれかに該当し，アルコール依存症の可能性がある場合は，あらかじめ小離脱が出現した場合の薬剤指示を出しておきましょう．
- なお，これらのケースでは，可能であれば早い段階で精神科へコンサルトしておくのがよいでしょう．

表1　「アルコール多飲」と評価した場合の確認項目(再掲)

① アルコール依存症の診断がついているかどうか
- ➡もし診断がついており，多量飲酒が続いている場合は，直ちに予防的な薬物療法を行う
- ➡ただし，アルコール依存症でも診断をされていないケースは多い

② 離脱症状の既往があるかどうか
- ➡患者から聴取する場合，「お酒をやめたとき，手が震えたり，ひどく汗をかいたりしたことがありませんでしたか？」と，穏やかながらもやや断定的に尋ねることで，「そのようなことが起こりうることを私はよく知っている」というニュアンスで伝わり，正直に答えてもらいやすくなる
- ➡患者は過少申告する可能性があるため，**可能な限り家族からも聴取する**
- ➡**過去に入院歴がある場合，その際に離脱症状があったかどうかを確認し（自院に入院歴があれば，診療録で確認），もしあった場合は，直ちに予防的な薬物療法を行う**（逆に，過去の入院時に離脱症状は出ておらず，そのときから明らかに飲酒量が増えていないようであれば，**リスクはきわめて少ない**）

③ 1日6ドリンク以上の連続飲酒があるかどうか
- ➡患者から聴取する場合，詰問するような口調で尋ねても，患者は自分の飲酒量や飲酒習慣に後ろめたさを感じているため，正確な把握が困難なことがある
- ➡できるだけ穏やかな口調で尋ね，「正直に申告しても大丈夫そう（怒られなさそう）」と思ってもらえるように工夫する
- ➡患者は過少申告する可能性があるため，**可能な限り家族からも聴取する**
- ➡1日6ドリンク以上を連日飲んでいれば，アルコール離脱せん妄のハイリスクと考えられる（6ドリンク＝日本酒3合＝ビール中瓶3本＝焼酎1.5合＝ウイスキー水割りダブル3杯など）

(次ページに続く)

4 アルコール関連疾患があるかどうか[2)]

➡以下の疾患があり，それが飲酒と強く関連している場合は，アルコール離脱せん妄のハイリスクと考えられる．
- 脳（うつ病，不安障害，認知症，ウェルニッケ脳症）
- 心臓（高血圧，不整脈）
- 膵臓（糖尿病，膵炎，膵臓がん）
- 肝臓（脂肪肝，肝炎，肝硬変，肝細胞がん）
- 大腸（大腸がん（結腸がん，直腸がん））
- 喉・食道（口腔がん，咽頭がん，食道がん）
- その他（脂質異常症，高尿酸血症，末梢神経障害，乳がん）など

➡患者は過少申告する可能性があるため，**検査データなどで客観的な評価を行う**

➡検査データでは，特に肝酵素やγGTP値などを確認する

➡アルコール依存症の患者は，救急病棟（慢性膵炎の急性増悪，転倒による外傷，食道静脈瘤破裂など）や消化器病棟（肝硬変，食道がん），耳鼻科病棟（頭頸部がん）に入院することが多いため，それらの病棟スタッフは，特にアンテナの感度を高めておく必要がある

➡緊急入院の患者では身体治療が優先され，飲酒歴に関する聴取が不十分となりやすい

5 飲酒による社会的な問題があるかどうか

➡離婚，絶縁，解雇（免職），事故，借金など，飲酒による社会的な問題が明らかな場合は，アルコール離脱せん妄のハイリスクと考えられる

アルコール依存症がほぼ確実の場合

STEP 2　せん妄の予防対策を行う

② ベンゾジアゼピン受容体作動薬の予防投与

- STEP 1で表1の 1 または 2 に該当する場合，アルコール依存症はほぼ確実で，アルコール離脱せん妄を発症する可能性がきわめて高いと考えられます．したがって，アルコール離脱せん妄の予防を目的として，**直ちにベンゾジアゼピン受容体作動薬の定期投与を開始**しましょう．

- アルコール離脱せん妄の予防では，主にベンゾジアゼピン受容体作動薬の**ジアゼパム**が用いられます．ジアゼパムは半減期が長いため，もし長期間使用することになっても，比較的減量しやすい薬剤です．
- ただし，肝機能障害が高度な患者さんでは血中濃度が高くなる可能性があるため，その場合は**ロラゼパム**を用いることがあります（ロラゼパムは肝臓の代謝酵素 CYP を介さず，直接グルクロン酸抱合で代謝されるため，肝臓への影響が少ない）．

アルコール離脱せん妄の予防処方例

【標準指示】

➡最初の 3 日間
- ジアゼパム 1 回 5 mg　1 日 3 回(毎食後)
- ブロチゾラム 1 回 0.25 mg　1 日 1 回(眠前)

➡4 日目から
- ジアゼパム 1 回 2 mg　1 日 3 回(毎食後)
- ブロチゾラム 1 回 0.25 mg　1 日 1 回(眠前)

【肝機能障害が高度な場合】

➡最初の 3 日間
- ロラゼパム 1 回 1 mg　1 日 3 回(毎食後)
- ロルメタゼパム 1 回 1 mg　1 日 1 回(眠前)

➡4 日目から
- ロラゼパム 1 回 0.5 mg　1 日 3 回(毎食後)
- ロルメタゼパム 1 回 1 mg　1 日 1 回(眠前)

【内服困難な場合】

➡最初の 3 日間
- ジアゼパム注 1 回 5 mg　1 日 3 回
  5 分以上かけて静注　または筋注

➡4 日目から
- ジアゼパム注 1 回 2.5 mg　1 日 3 回
  5 分以上かけて静注　または筋注

注1：ジアゼパムの静注は呼吸抑制をきたすことがあるため，投与前に救急処置（バッグバルブマスクやフルマゼニル（ベンゾジアゼピン受容体拮抗薬））の準備をしておくこと．5分以上かけて緩徐に静注を行い，投与中はパルスオキシメーターや血圧計などで呼吸・循環動態を継続的にモニタリングすること．

注2：ジアゼパムはシメチジンやオメプラゾールとの併用で鎮静作用が強くなることがある．

注3：ジアゼパムの筋注は，筋肉内で結晶化しやすいことなどから，経口投与より効果発現が遅く，かつ弱い．

【準備因子が複数あるなど，一般的なせん妄のハイリスクでもある場合】

➡ 最初の3日間
- ジアゼパム 1回5 mg 1日3回（毎食後）
- リスペリドン 1回0.5 mg 1日2回（朝・眠前）
- トラゾドン 1回50 mg 1日1回（眠前）

➡ 4日目から
- ジアゼパム 1回2 mg 1日3回（毎食後）
- リスペリドン 1回0.5 mg 1日1回（眠前）
- トラゾドン 1回50 mg 1日1回（眠前）

注：ジアゼパムのみの投与では薬剤性せん妄をきたす可能性があるため，抗精神病薬を併用する．

- アルコールの離脱症状の予防や治療でベンゾジアゼピン受容体作動薬を用いる理由は，脳内でベンゾジアゼピン受容体作動薬とエタノールの作用する部位が近く，交叉耐性があるからです．
- ただし，例えば「70歳」「脳梗塞の既往」など，準備因子を複数有する患者さんでは，アルコール離脱せん妄の予防を目的にベンゾジアゼピン受容体作動薬を投与すると，今度は薬剤性せん妄をきたす可能性が出てきます．この場合，ベンゾジアゼピン受容体作動薬を単独で投与するのではなく，リスペリドンなどの抗精神病薬と併用するのがよいでしょう．

③ ビタミンの補充

- 血液検査で,栄養状態(ビタミン欠乏含む)や脱水,電解質異常(特に低 K や低 Mg)の有無を評価します.
- アルコール多飲の患者さんの多くは,特に栄養状態が不良です.したがって,ビタミン B_1 やニコチン酸の検査結果が出ていなくても,ウェルニッケ脳症やペラグラ脳症の予防を目的として,できるだけ早くビタミン B_1 やニコチン酸の補充や輸液を行いましょう.
- 薬剤の投与方法については,吸収の観点から,経口よりも非経口(点滴)が望ましいと考えられます.

> **ビタミンの補充**
>
> - フルスルチアミン注(100 mg/A)5 A ＋ ニコチン酸注(50 mg/A)1 A
>   1日2回 点滴ボトルに混注 数日間

STEP 3 せん妄の早期発見につとめる

④ 小離脱の評価

- まず,離脱症状の出現時間を予測するために,**最終飲酒日と最終飲酒時刻を正確に把握する**ことが重要です.
- ただし,例えば緊急入院の患者さんでは身体治療が優先されるため,飲酒歴に関する聴取が不十分になることがあります.
- 予定入院の患者さんでも,例えば入院直前(前日の晩ではなく,当日の午前中)に飲酒していることがあり,その場合は医療者の想定よりも遅いタイミングで小離脱を発症するため,正確な把握がカギを握っています.
- 小離脱は,早ければ最終飲酒から6時間ほどではじまるため,

時間単位でのこまめな観察が求められます．
- 入院後は，可能な限り1日に複数回評価を行いましょう（日勤帯・準夜帯・夜勤帯でそれぞれ2回ずつなど）．
- 小離脱では，自律神経症状（手指振戦，発汗，頻脈，血圧上昇，発熱，皮膚紅潮など），消化器症状（嘔気，嘔吐など），精神症状（不眠，不安，イライラ，集中力低下など）といった，多彩な症状がみられます．
- もしベンゾジアゼピン受容体作動薬を予防投与したにもかかわらず小離脱を認めた場合は，投与中のベンゾジアゼピン受容体作動薬をすみやかに増量するのがよいでしょう（**1.5〜2倍程度を目安とする**）．
- 病院によっては，アルコール離脱症状の重症度を評価する目的で，CIWA-Arが用いられています（表2）．

表2　アルコール離脱臨床評価スケール改訂版（CIWA-Ar）

1. 吐き気・嘔吐			
「胃の具合が悪いですか，吐きましたか．」			
吐き気・嘔吐なし	0点	むかつきを伴った間欠的吐き気	4点
嘔吐を伴わない軽度の吐き気	1点	持続的な吐き気，頻繁なむかつき，嘔吐	7点
2. 振戦			
上肢を前方に伸展させ，手指を開いた状態で観察			
なし	0点	中等度振戦：上肢伸展で確認できる	4点
軽度振戦：視診で観察できないが，触れるとわかる	1点	高度振戦：上肢を伸展しなくても確認できる	7点
3. 発汗			
発汗なし	0点	前額部にも明らかな滴状発汗あり	4点
わずかに発汗が確認できるか，手掌が湿っている	1点	全身の大量発汗	7点
4. 不安			
「不安を感じますか．」			
不安なし，気楽にしている	0点	中等度不安，または警戒しており不安とわかる	4点
軽い不安を感じている	1点	重篤なせん妄や統合失調症の急性期にみられるようなパニック状態と同程度の不安状態	7点

（次ページに続く）

5. 焦燥感			
行動量の増加なし	0点	落ち着かずそわそわしている	4点
行動量は普段よりやや増加している	1点	面談中, うろうろ歩いたり, のたうち回っている	7点

6. 触覚障害			
「かゆみ, ピンや針でつつかれるような感じ, 焼けつくような感じ, 感覚が麻痺したり, 皮膚の上や中に虫が這っているような感じがしますか.」			
なし	0点	軽度の体感幻覚(虫這い様感覚)	4点
搔痒感, ピンや針でつつかれる感じ, 灼熱感, 無感覚のいずれかが軽度にある	1点	中等度の体感幻覚	5点
上記症状が中等度にある	2点	高度の体感幻覚	6点
上記症状が高度にある	3点	持続性の体感幻覚	7点

7. 聴覚障害			
「周りの音が気になりますか, それは耳障りですか, そのせいで怖くなることがありますか. 不安にさせるような物音は聞こえますか, ここにないはずの物音が聞こえますか.」			
なし	0点	軽度の幻聴	4点
物音が耳障りか, 物音に驚くことがある程度	1点	中等度の幻聴	5点
上記症状が中等度にある	2点	高度の幻聴	6点
上記症状が高度にある	3点	持続性幻聴	7点

8. 視覚障害			
「光が明るすぎますか, 光の色が違って見えますか, 光で目が痛むような感じがしますか. 不安にさせるようなものが見えますか, ここにないはずのものが見えますか.」			
なし	0点	軽度の幻視	4点
光に対し軽度に過敏	1点	中等度の幻視	5点
中等度に過敏	2点	高度の幻視	6点
高度に過敏	3点	持続性幻視	7点

9. 頭痛・頭重感			
なし	0点	やや高度	4点
ごく軽度	1点	高度	5点
軽度	2点	非常に高度	6点
中等度	3点	極めて高度	7点

10. 見当識・意識障害			
「今日は何日ですか, ここはどこですか, 私は誰ですか.」			
見当識は保たれており, 3つを連続して言うことができる	0点	日付の2日以内の間違い	2点
		日付の2日以上の間違い	3点
3つを連続して言うことができないか, 日付があいまい	1点	場所か人に対する失見当識がある	4点
		総合得点:	/67点満点

0〜9点:軽度, 10〜15点:中等度, 16点以上:重度

(Sullivan JT. et al : BrJ Addict, 84 : 1353-1357, 1989 より)

応用編

- CIWA-Arでは，8点以上が薬物療法の目安とされており，重症度を考慮に入れた対応が可能になります．
- ただし，数分で実施できる簡便なツールとはいえ，多忙な臨床現場でCIWA-Arによる評価をルーチンにするのは難しいと考えられます．そこで，すでにアルコール依存症の診断がついているなど，アルコール離脱せん妄を発症する可能性がきわめて高いケースで用いるのがよいでしょう．
- CIWA-Arの評価項目を知っておくだけでもアルコール離脱症状がイメージしやすくなるため，その内容をぜひ確認しておきましょう．

STEP 4　せん妄の治療を行う

⑤ ベンゾジアゼピン受容体作動薬を中心とした薬物療法

- アルコール離脱せん妄では，**精神運動興奮**や**見当識障害，幻覚**などのほか，**激しい振戦を含む顕著な自律神経症状**がみられます．また，**小動物幻視（虫やネズミ，ヘビなど）**が特徴的です．
- サブタイプとしては，過活動型せん妄が多いとされています．
- ベンゾジアゼピン受容体作動薬の予防投与を行ってもアルコール離脱せん妄がみられた場合は，さらなるベンゾジアゼピン受容体作動薬の増量など積極的な薬剤調整を行うとともに，幻覚・妄想を伴うケースでは抗精神病薬の併用を行います．
- アルコール離脱せん妄は，**最終飲酒後48〜96時間（2〜4日）で生じ，少なくとも7日間程度は続く**とされています．したがって，薬物治療も少なくとも7日間は投与が必要です．
- 症状が落ち着いてくるようであれば，4日目ごろから減量を試みましょう．ただし，逆に長期間続く場合もあるため，慎重な

判断が求められます．
- 日中にジアゼパムを投与するだけでなく，眠前薬もベンゾジアゼピン受容体作動薬を中心に処方を組み立てましょう．

アルコール依存症の可能性がある場合

STEP 2 せん妄の予防対策を行う

② 小離脱が出現した場合の薬剤指示

- STEP 1で表1の③〜⑤のいずれかに該当する場合，ベンゾジアゼピン受容体作動薬の定期投与までは不要ですが，あらかじめ小離脱の出現に備えた薬剤指示を出しておきましょう．

小離脱出現時

- ジアゼパム 5 mg　30分以上あけて計3回までOK

＊小離脱では，以下のような症状がみられます．

自律神経症状：手指振戦，発汗，頻脈，血圧上昇，発熱，皮膚紅潮など

消化器症状：嘔気，嘔吐など

精神症状：不眠，不安，イライラ，集中力低下など

- 【小離脱出現時】の薬剤指示を使うかどうかは看護師の判断に委ねられますが，看護師は，小離脱がどのようなものかを知らないことがほとんどです．医師は**看護師に小離脱の症状を具体的に伝えておくこと**で，適切な頓服薬の使用につながります．
- そこで，【小離脱出現時】の指示では，「＊小離脱では，以下のような症状がみられます．自律神経症状：手指振戦，……」という部分も含めて，カルテに書いておくのがよいでしょう．

応用編

③ ビタミンの補充

- すでに解説したように,血液検査で栄養状態(ビタミン欠乏含む)や脱水,電解質異常(特に低Kや低Mg)の有無を評価します.
- ビタミン B_1 やニコチン酸の検査結果が出ていなくても,ウェルニッケ脳症やペラグラ脳症の予防を目的として,できるだけ早くビタミン B_1 やニコチン酸の補充や輸液を行いましょう.
- 薬剤の投与方法については,吸収の観点から,経口よりも非経口(点滴)が望ましいと考えられます.

> ビタミンの補充
>
> - フルスルチアミン注(100 mg/A)5 A ＋
>   ニコチン酸注(50 mg/A)A
>   １日２回　点滴ボトルに混注　数日間

STEP 3　せん妄の早期発見につとめる

④ 小離脱の評価

- まず,離脱症状の出現時間を予測するために,**最終飲酒日と最終飲酒時刻を正確に把握**しましょう.
- 小離脱は,早ければ最終飲酒から６時間ほどではじまるため,時間単位でのこまめな観察が求められます.
- 入院後は,可能な限り１日に複数回評価を行いましょう(日勤帯・準夜帯・夜勤帯でそれぞれ２回ずつなど).
- **医師が【小離脱時】の薬剤指示を出したら,看護師はそれを踏まえて小離脱が出現していないかどうかをこまめに観察します.そして,小離脱を認めたら,すみやかにベンゾジアゼピン受容体作動薬の投与を行います.**そのことによって,アルコール離

脱せん妄を未然に防ぐことが可能となります(図3).
- このように，アルコール離脱せん妄の予防では，小離脱をいかに早く発見できるかがポイントになるため，患者さんやご家族にも小離脱の具体的な説明を行い，そのような徴候がみられたらすぐに教えてもらうようにしておきましょう．

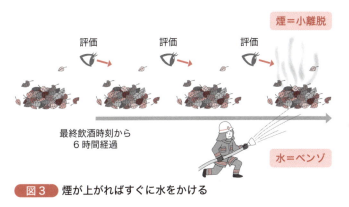

図3 煙が上がればすぐに水をかける

STEP 4　せん妄の治療を行う

⑤ ベンゾジアゼピン受容体作動薬を中心とした薬物療法

- 小離脱が出現したら，今度は大離脱に備えた薬物療法が必要になります．
- すでに解説したように，直ちにジアゼパムまたはロラゼパムの定期投与を開始しましょう．

応用編

小離脱出現後

【標準指示】

➡最初の3日間
- ジアゼパム 1回5 mg　1日3回(毎食後)
- ブロチゾラム 1回0.25 mg　1日1回(眠前)

➡4日目から
- ジアゼパム 1回2 mg　1日3回(毎食後)
- ブロチゾラム 1回0.25 mg　1日1回(眠前)

【肝機能障害が高度な場合】

➡最初の3日間
- ロラゼパム 1回1 mg　1日3回(毎食後)
- ロルメタゼパム 1回1 mg　1日1回(眠前)

➡4日目から
- ロラゼパム 1回0.5 mg　1日3回(毎食後)
- ロルメタゼパム 1回1 mg　1日1回(眠前)

【内服困難な場合】

➡最初の3日間
- ジアゼパム注 1回5 mg　1日3回
  5分以上かけて静注　または筋注

➡4日目から
- ジアゼパム注 1回2.5 mg　1日3回
  5分以上かけて静注　または筋注

注1：ジアゼパムの静注は呼吸抑制をきたすことがあるため，投与前に救急処置〔バッグバルブマスクやフルマゼニル(ベンゾジアゼピン受容体拮抗薬)〕の準備をしておくこと．5分以上かけて緩徐に静注を行い，投与中はパルスオキシメーターや血圧計などで呼吸・循環動態を継続的にモニタリングすること．

注2：ジアゼパムはシメチジンやオメプラゾールとの併用で鎮静作用が強くなることがある．

注3：ジアゼパムの筋注は，筋肉内で結晶化しやすいことなどから，経口投与より効果発現が遅く，かつ弱い．

> 【準備因子が複数あるなど，一般的なせん妄のハイリスクでもある場合】
>
> または
>
> 【幻覚・妄想を伴う場合】
>
> ➡最初の3日間
> - ジアゼパム 1回5 mg　1日3回(毎食後)
> - リスペリドン 1回0.5 mg　1日2回(朝・眠前)
> - トラゾドン 1回50 mg　1日1回(眠前)
>
> ➡4日目から
> - ジアゼパム 1回2 mg　1日3回(毎食後)
> - リスペリドン 1回0.5 mg　1日1回(眠前)
> - トラゾドン 1回50 mg　1日1回(眠前)
>
> 注：ジアゼパムのみの投与では薬剤性せん妄をきたす可能性があるため，抗精神病薬を併用する．

- 一般的なアルコール離脱せん妄は，7日程度でおさまりますが，高齢者などでは1カ月以上遷延することもあります．
- **長引く場合**は，①肝障害による高アンモニア血症，②頭部外傷による硬膜下血腫，③ビタミン B_1 欠乏によるウェルニッケ脳症，④ナイアシン欠乏によるペラグラ脳症，などの可能性について，念のため除外する必要があります．

アルコール依存症の治療

- アルコール離脱せん妄が改善したら，今度はアルコール依存症自体の治療につなげることが大切です．
- 近年になってアルコール依存症の治療は大きく変わり，「飲むか，飲まないか」という完全断酒をめざす治療だけではハードルが高いため，いわゆる「減酒」という治療目標が新たに加わり

ました.
- 減酒に効果を発揮する薬も使えるようになっているため,積極的に専門医の受診をすすめましょう.
- 紹介先に困る場合は,院内のソーシャルワーカーに尋ねるか,各都道府県に必ず設置されている精神保健福祉センターに相談してみるのがよいでしょう.

参考文献

1) 「Diagnostic and Statistical Manual of Mental Disorders, 5th ed (DSM-5)」(American Psychiatric Association), American Psychiatric Publishing, 2013
2) 「新アルコール・薬物使用障害の診断治療ガイドラインに基づいたアルコール依存症の診断治療の手引き 第1版」(一般社団法人 日本アルコール・アディクション医学会 日本アルコール関連問題学会/編), 2018
https://www.j-arukanren.com/pdf/20190104_shin_al_yakubutsu_guide_tebiki.pdf

3章 緩和医療におけるせん妄

はじめに

- がん患者さんでは，病状の進行に伴って，せん妄の発症頻度が高くなります（図1）.
- オピオイドやステロイドなど，がんに伴う症状（痛みや呼吸困難など）の治療薬がせん妄の原因になることもあります.
- したがって，がん患者さんにかかわる際には，せん妄の発症に備えて，積極的に予防的介入を行う必要があります.
- がん患者さんがせん妄を発症した場合，まずは直接因子を特定し，それらが除去可能かどうかについて評価します.
- 除去可能であれば治療可能性が高い「可逆性せん妄」として，原因療法，薬物療法，非薬物療法の3本柱で治療を行います.

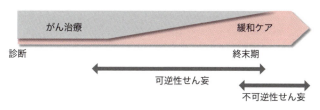

* ただし，がん種や医療提供体制などによって異なる

図1 がんの経過と可逆性・不可逆性せん妄

応用編

入院前または入院後3日以内（一次予防）

STEP 1　リスク因子の確認

- [ ] 70歳以上
- [ ] 脳器質的障害
- [ ] 認知症
- [ ] アルコール多飲
- [ ] せん妄の既往
- [ ] リスクとなる薬剤（特にBZ受容体作動薬）の使用
- [ ] 全身麻酔を要する手術後またはその予定があること

①身体的重症度が高い場合は「せん妄ハイリスク」

STEP 2　せん妄の予防対策

- 患者及び家族への説明
- 不眠時/不穏時指示
- せん妄ハイリスク薬（BZ受容体作動薬）の減量・中止／使用回避
- せん妄予防ケアの立案・実施　← ②痛みに対するケア

入院中（二次予防）

STEP 3　せん妄の早期発見

- ツールを用いた評価
- 臨床的評価　← ③低活動型せん妄の評価
- 他疾患との鑑別（認知症／うつ病／アカシジア／RLS）

STEP 4　せん妄の治療

- 原因療法　← ④直接因子を用いてせん妄の治療可能性を評価
- 薬物療法
- 非薬物療法

可逆 → ⑤可逆性せん妄へのアプローチ
不可逆 → ⑤不可逆性せん妄へのアプローチ

図2　「せん妄ハイリスク患者ケア加算」の流れに沿った緩和医療におけるせん妄対策

- 除去が難しい場合は,治療可能性の低い「不可逆性せん妄」と考えられるため,薬物療法と非薬物療法がメインとなります.
- がんの終末期にみられる不可逆性せん妄では,鎮静も選択肢の1つとなるため,間欠的鎮静や持続的鎮静について検討を行います.
- がんの終末期では,患者さんだけでなくご家族に対するケアが特に必要になるほか,療養場所にバリエーション(病院や在宅など)があることを念頭におきましょう.
- 緩和医療の対象疾患には,がんだけでなく,非がん(心不全やCOPD,神経難病など)も含まれます.

STEP 1 せん妄のリスク因子の有無を確認する

① 身体的重症度が高い場合は「せん妄ハイリスク」

- がん患者さんでは,たとえ若年で一般的な準備因子が全くなくても,病状の進行や合併症などで身体的重症度が高い場合は,せん妄ハイリスクと考えるようにしましょう.

STEP 2 せん妄の予防対策を行う

② 痛みに対するケア

- がん患者さんは,その大半が経過中に痛みを抱えることになります.
- 痛みは,がん患者さんで最も高頻度にみられるせん妄の促進因子であり,QOLだけでなくせん妄予防の観点からも,積極的

- ただし,痛みに対して用いられる**オピオイド**は,せん妄の直接因子となりえるため,投与開始時および増量時などでは特にせん妄の発症や悪化に注意する必要があります.
- がん患者さんが痛みを訴えたとき,または痛みがあるようにみえた際,直ちにオピオイドを投与するのではなく,まずはせん妄の有無を評価します.もしせん妄がなければ,患者さんの主観的な訴えに沿って疼痛コントロールを行いましょう.
- ただし,痛みがせん妄で修飾されて過剰な表現となっていたり,さらには痛みがないのにせん妄によって痛みがあるようにみえたりすることがあるため,客観的な指標〔観察者評価やバイタルサイン,非言語的な情報(表情・しぐさ),訴えの一貫性〕を参考に,総合的に判断しましょう(p185参照).
- もしせん妄であれば,原因の除去と抗精神病薬などによる薬物療法を行います.**決して安易にオピオイドを投与しないよう,十分注意しましょう.**

STEP 3　せん妄の早期発見につとめる

③ 低活動型せん妄の評価

- がん患者さんがせん妄を発症するタイミングは,表1の通りです.これらを覚えておくことで,せん妄の早期発見が可能となります.
- がん患者さんでは,**過活動型せん妄に比べて低活動型せん妄の発症頻度が高くなります**[1].
- また,終末期に近づくにつれて,低活動型せん妄の比率が高くなることが知られています[2].
- ただし,実臨床では「身体がしんどいのだろう」と見なされたり,

> **表1** がん患者におけるせん妄発症のタイミング

> ① 入院時（身体症状の出現・悪化による入院は，それが直接因子となる）
> ② 術後3日以内（手術が直接因子となる）
> ③ 痛みや倦怠感などでオピオイドやステロイドが開始・増量されたタイミング（薬剤がせん妄の直接因子となる）
> ④ がんの進行に伴って身体合併症がみられた場合（せん妄の直接因子となる）
> ⑤ 痛みや不眠などが顕著となったタイミング（せん妄の促進因子となる）

うつ病と誤診されたりしやすいため，常に低活動型せん妄の可能性を考え，注意障害や見当識障害，幻覚の有無などを確実に評価する必要があります（p123参照）.

STEP 4　せん妄の治療を行う

④ 直接因子を用いてせん妄の治療可能性を評価

- がん患者さんがせん妄を発症した場合，一般的なせん妄と同じく，まずは直接因子をとり除くことが最も重要です．
- ただし，がん患者さんのせん妄では，直接因子が必ずしも除去できるとは限らず，終末期に近づくにつれて除去困難なものも増えてきます．
- そこで，まず直接因子を特定したら，次にそれを指標に**せん妄の治療可能性**を評価します．
- そして，「**可逆性せん妄**」または「**不可逆性せん妄**」のいずれかに分類したうえで，めざすゴールや治療，ケアの内容を決定する，というプロセスになります（表2）.
- がん患者さんにみられやすい直接因子（表3）をあらかじめ知っておくと，検査を効率的に行うことができるとともに，見落と

表2 可逆性せん妄／不可逆性せん妄

	可逆性せん妄	不可逆性せん妄
典型的な原因	脱水，感染，高Ca血症，薬剤	肝不全，腎不全，低酸素血症
治療可能性	高い	低い
目標	せん妄からの回復	苦痛となっている症状（不眠や幻覚，不安・焦燥など）の緩和
直接因子への介入	積極的に行う	部分的に行う
主な薬物療法	抗精神病薬など	①抗精神病薬など ②抗精神病薬とベンゾジアゼピン受容体作動薬の併用 ③十分量のベンゾジアゼピン受容体作動薬の単独投与
主なケア内容	●身体管理（疼痛・便秘など）　●コミュニケーション	●環境調整　●家族ケア

表3 がん患者にみられるせん妄の代表的な直接因子

ケースによっては除去が可能なもの	● 脱水 ● 感染症（肺炎，敗血症） ● 脳炎（傍腫瘍性辺縁系脳炎を含む） ● 貧血 ● 薬剤（オピオイド，ベンゾジアゼピン受容体作動薬，ステロイドなど） ● 高Ca血症，低Na血症，低Mg血症 ● ウェルニッケ脳症（ビタミンB_1欠乏）
除去が困難なことが多いもの	● 脳転移，がん性髄膜炎，脳梗塞（Trousseau（トルーソー）症候群） ● 低酸素血症 ● 肝不全，腎不全

しが少なくなります．
● ただし，がん患者さんのせん妄は直接因子が単一であることは稀で，薬剤や感染など，**複数重なっている**場合がほとんどです．

- したがって，直接因子を1つ特定できても，他に見落としている直接因子がないかについて多方面から検討し，十分精査を行いましょう．
- 直接因子のうち，**薬剤，脱水，高Ca血症**などは治療可能性が比較的高いため，特に見逃さないことが重要です．
- 数ある直接因子のなかで，**最も多いものは「薬剤」**です．薬剤性せん妄は治療可能性が高いため，せん妄発症時は投与中の薬剤を真っ先にチェックする癖をつけておきましょう．
- 代表的な原因薬剤について，必ず知っておきましょう(表4)．

表4　がん患者における薬剤性せん妄の原因薬剤 [3)]

原因薬剤	割合（%）
オピオイド	54
ベンゾジアゼピン受容体作動薬	24
ステロイド	21
H_2 受容体拮抗薬	19
抗てんかん薬	6
抗コリン薬	6
抗ヒスタミン薬	4

- その他，がん患者さんでは，Trousseau (トルーソー) 症候群や傍腫瘍性辺縁系脳炎によってせん妄をきたすことがあります．
- **Trousseau (トルーソー) 症候群**とは，がんによる凝固系の亢進を背景として発症する脳梗塞のことで，特に肺がんや卵巣がん，消化器がんなどでみられることが多いとされています．疑わしい場合は，凝固マーカー (Dダイマーや FDP) の測定や頭部MRI検査(拡散強調画像)を行うようにしましょう．
- **傍腫瘍性辺縁系脳炎**とは，腫瘍の遠隔効果による免疫反応を原因として発症する脳炎のことで，特に肺小細胞がんや精巣腫瘍，乳がん，胸腺腫などでみられます．疑わしい場合は，抗Hu抗体や抗Ma2抗体などの自己抗体の測定や髄液検査(細胞数増多

やタンパク増加),頭部 MRI 検査(T2,FLAIR で側頭葉内側に高信号域を認めることがある)を行うようにしましょう.

⑤-1 可逆性せん妄へのアプローチ

- 直接因子が除去可能なものであれば,治療可能性は高いと考えられるため,「可逆性せん妄」と評価されます.
- そこで,**せん妄からの回復を目標として**,原因療法,薬物療法,非薬物療法を行います.
- 特に,せん妄の改善には直接因子をとり除く必要があるため,**積極的に原因療法を行うことが重要です**(図3).

図3　可逆性せん妄に対する治療的介入

●原因療法

- 原因療法では,せん妄の直接因子をとり除きます.
- なかでも,薬剤を真っ先に確認しましょう.その際,**せん妄を発症した少し前のタイミングで開始・増量された薬がないかどうかを確認する**ことが大切です.
- ただし,長期にわたって内服している薬でも,年齢や肝・腎機能障害の影響,あるいは他の薬剤との相互作用などでせん妄の原因薬剤になる場合もあるため,十分注意が必要です.
- 具体的な原因薬剤としては,**オピオイドやベンゾジアゼピン受**

容体作動薬，**ステロイド**がその大半を占めており，なかでもオピオイドが最多です．

- モルヒネは腎排泄率が高いため，腎機能障害を有する患者さんでは特にせん妄を発症しやすくなります．また，モルヒネは，オピオイドのなかでもフェンタニルやオキシコドンに比べてせん妄のリスクが高いとされているため，せん妄の原因薬剤と考えられる場合は積極的にスイッチングを検討しましょう．
- 実臨床では，**オピオイドやステロイド**がせん妄を惹起する可能性はあっても，症状マネジメントを目的として十分投与を行ったうえで，もしせん妄を発症したら減量・中止やスイッチングなどを検討することになります．
- 一方，**ベンゾジアゼピン受容体作動薬やH$_2$受容体拮抗薬**などは，せん妄の発症リスクが少ない代替薬（オレキシン受容体拮抗薬やPPIなど）があるため，**当初から安易な投与を避けること**が重要です．

●薬物療法
- 基本的には，一般的なせん妄に対する薬物療法と同じです（p145 実践編 2章 図4およびp142 参照）．
- ただし，がんの治療経過中には嘔気・嘔吐などで内服困難なことがあるため，特に注射薬の使い方についてよく知っておきましょう．
- 薬剤指示を出す際には，例えば【内服不可時】などとして，内服薬が投与できない場合を想定しておくことが重要です．

●非薬物療法
- これについても，基本的には，一般的なせん妄に対する非薬物療法と同じです．
- 少し異なる点として，患者さんやご家族に可逆性せん妄について説明する際には，一般的なせん妄の説明に加えて，回復の可

能性などについても十分触れておくのがよいでしょう．
- 表5のように，順を追って説明することで，ご家族の理解が得られやすくなります．

表5　可逆性せん妄に対する説明内容

① せん妄とはどのようなものか

② せん妄の原因

③ せん妄から回復する可能性が高いこと

④ せん妄からの回復を目的とした治療内容（薬物療法やケアなど）

⑤ ご家族に行ってほしいケア内容

- また，一方的な説明に終始するのではなく，ご家族の不安や気がかりに対して共感を示し，「ここまでよろしいでしょうか？」のような質問を挟んで理解度を確認するなど，わかりやすく丁寧な説明を心がけましょう．
- 可逆性せん妄で，「せん妄からの回復の可能性が高い」と判断しても，病状の進行に伴って除去困難な直接因子が加わり，**不可逆性せん妄に移行する可能性があります**．その場合，「よくなると聞いていたのに……」などとご家族が混乱するかもしれないため，安易な保証は禁物です（表6）．
- なお，ご家族は医療者に対して，「せん妄になる前と同じように患者に接してほしい」「家族の身体的・心理的負担を和らげてほしい」などと考えていることが多いようです[4]．
- また，「『せん妄の原因』『選択可能な治療』『今後予測される経過』『患者との接し方』などを教えてほしい」と考えており，さらに「それらの情報を，日々変化する患者の様子に応じて伝えること」「理解しやすい言葉で伝えること」「質問しやすい雰囲気をつくること」などを希望しています[4]．

- 医療者は,これらのことを念頭に置き,誠意をもって対応するように心がけましょう.

表6　可逆性せん妄についての説明のポイント

×	「せん妄は必ず治りますので,どうかご安心ください.」 →不安になっているご家族を前にして,つい安心させたくなってしまうが,実際には不可逆性せん妄になったら治らない.安易な保証は,後にご家族の混乱やトラブルを招く可能性がある.
△	「せん妄は治らないこともあります.ただし,原因をとり除けば必ず治ります.」 →ご家族は最後に言われた言葉の方が印象に残りやすく,また少しでもよい方に解釈をしたいという気持ちがあるため,「必ず治る」という部分だけ記憶に残ってしまう可能性がある.
○	「原因をとり除くことで,せん妄の改善が期待できます.ただし,今後病状の進行に伴って,痛みや脱水などいろいろな症状が出てくると,なかなか治らないこともあります.」

⑤-2 不可逆性せん妄へのアプローチ

- 直接因子が除去困難なものであれば,治療可能性は低いと考えられるため,「不可逆性せん妄」と評価されます.
- したがって,苦痛となっている症状,例えば不眠や幻覚・妄想,不安・焦燥などの症状の緩和を目標とし,直接因子に対するアプローチは部分的なものにとどめ,鎮静などを選択肢に入れて薬物療法を行います(図4).
- また,患者さんのみならず,**ご家族に対するケア**を強く意識する必要があります.

図4 不可逆性せん妄に対する治療的介入

●原因療法

- 不可逆性せん妄の直接因子にはとり除けないものが多く、なかでも、肝不全や腎不全、低酸素血症などは特に治療可能性が低いとされています．
- ただし、**終末期であっても、せん妄の患者さんの約50％はせん妄からの一時的な回復が可能**とされています[5]．
- 医療者は、ともすれば「終末期」という言葉や概念に引きずられ、多くの直接因子が重なっている場合などは、「せん妄はもはや回復しない」と考えてしまうため、十分注意しておきましょう．
- 実臨床でも、複数の直接因子が重なった終末期のせん妄に対して、**除去可能な一部の直接因子をとり除くことで、一時的にせん妄の重症度が下がる**ことはしばしば経験されます（図5）．
- 終末期でも穏やかに過ごせる時間を持てることは、たとえそれが短い時間であっても、患者さんやご家族にとってきわめて大切です．したがって、不可逆性せん妄と評価しても決してあきらめず、除去可能な直接因子については、むしろ積極的に介入することを検討しましょう．
- ただし、例えば脱水をみとめる場合、はたして輸液を行うかどうかの判断は決して容易ではありません．というのも、輸液

①せん妄が出現している
（水面から顔を出している）

②じつは直接因子が複数重なっている
（水面下には直接因子がたくさんあり，それが足し算になってせん妄が水面から顔を出している）

③直接因子を1つでも除去すればせん妄は少しおさまる
（水面下の直接因子が少しでもなくなれば，せん妄は水面下に沈む）

図5
複数の直接因子が重なったせん妄に対する原因療法

よってせん妄が改善する可能性はあるものの，胸水や腹水の悪化などで患者さんの苦痛が強まってしまうかもしれないからです．
- このように，終末期における不可逆性せん妄では，患者さんの身体的・精神的苦痛がきわめて強くなるため，治療やケアを行う際には**常にそのメリットとデメリットを天秤にかけ，十分検討することが大切**です（表7）．

● **薬物療法**
- 不可逆性せん妄では，何を目標とするかによって，薬物療法の内容が異なります．
- 不眠，幻覚・妄想，不安・焦燥などの症状の緩和を目標とする場合，抗精神病薬の単独投与，あるいは抗精神病薬とベンゾジアゼピン受容体作動薬の併用のいずれかを行います．

表7　せん妄対応のメリット・デメリット(再掲)

対応	メリット	デメリット
ツールの使用	・せん妄の見逃しの防止 ・せん妄に対する医療者の意識が高まる	・医療者の業務量の増大 ・継続した実施が困難
輸液	・脱水によるせん妄の改善	・胸水・腹水の悪化
リハビリテーション	・日中の覚醒度が上がり，夜眠りやすくなる ・リラクゼーション効果 ・孤独感の軽減 ・せん妄の予防	・身体的苦痛 ・疲労による昼寝が，かえって夜間の不眠につながる
尿道カテーテル留置	・排尿の負担軽減 ・転倒の防止	・身体的苦痛（不快感） ・せん妄の悪化（促進因子）
身体拘束	・転倒やライン抜去の防止 ・薬剤による副作用の回避	・身体的・精神的苦痛 ・せん妄の悪化（促進因子） ・静脈血栓や褥瘡のリスク
ナースステーションでの経過観察	・転倒やライン抜去の防止	・精神的苦痛（尊厳やプライバシー）
個室	・ふだんの生活に近くなるように時間の流れやベッド周囲を調節できる	・孤独感や不安感 ・金銭的負担
家族の付き添い	・本人の安心感	・家族の身体的・精神的負担
薬物療法	・不眠や興奮の改善	・過鎮静やパーキンソン症状などの副作用 ・ともすれば非薬物療法の軽視につながる
鎮静	・耐えがたい苦痛を和らげることができる	・コミュニケーションがとれなくなる

●せん妄による苦痛が強く，鎮静を目標とする場合は，抗精神病薬とベンゾジアゼピン受容体作動薬の併用，あるいは十分量のベンゾジアゼピン受容体作動薬の単独投与，のいずれかになります．

- 治療方針については,医師のみならず,多職種からなる医療チーム,患者さん,ご家族などで,十分話し合って決めるのがよいでしょう.
- また,終末期では身体状況などが日ごとに変わりうるため,こまめな評価や話し合いを行うことが大切です.

1) 不眠,幻覚・妄想,不安・焦燥などの症状緩和を目標とする場合

- 不可逆性せん妄では,不眠,幻覚・妄想,不安・焦燥など,患者さんの苦痛となっている症状をマネジメントする目的で,薬物療法を行います.
- 軽度から中等度の不可逆性せん妄に対しては,抗精神病薬の投与よりも非薬物療法を主体とすることが望ましいと考えられます.また,低活動型せん妄がみられた場合も,薬剤の安易な投与で日中の傾眠がさらに強くなる可能性があるため,やはり非薬物療法をメインにしましょう.
- 一方,**過活動型せん妄でかつ症状が重度(不眠,幻覚・妄想,不安・焦燥などが顕著)の場合**には,①抗精神病薬の単独投与,あるいは②抗精神病薬とベンゾジアゼピン受容体作動薬の併用,のいずれかを行います.
- がんの終末期,特に不可逆性せん妄がみられる時期では,薬剤の内服が困難なことも多いため,その際には**注射薬もしくはアセナピンの舌下投与を選択**します.
- 注射薬では,**ハロペリドール**を用います.ただし,ハロペリドールは鎮静作用がやや弱いため,症状緩和が十分得られない場合は,ヒドロキシジンや,ベンゾジアゼピン受容体作動薬である**フルニトラゼパムあるいはミダゾラムなどを併用**しましょう.
- フルニトラゼパムやミダゾラムを併用することで確実に入眠効果は得られますが,呼吸抑制をきたすリスクがあるため,使用に関しては十分注意が必要です.

不眠,幻覚・妄想,不安・焦燥などの症状緩和を目標とした処方例

■処方例①

【定時薬】
- ハロペリドール注(5 mg/A)0.5 A ＋
  ヒドロキシジン注(25 mg/A)1 A ＋生食 100 mL
  20 時から 1 時間かけて点滴

【不眠時】
- ハロペリドール注(5 mg/A)0.5 A ＋
  ヒドロキシジン注(25 mg/A)1 A ＋生食 20 mL
  側管から 1 分以上かけて緩徐に静注
  30 分以上あけて計 3 回まで OK

【不穏時】
- ハロペリドール注(5 mg/A)1 A ＋
  ヒドロキシジン注(50 mg/A)1 A ＋生食 20 mL
  側管から 2 分以上かけて緩徐に静注
  30 分以上あけて計 3 回まで OK

【日中落ち着かないとき】
- ハロペリドール注(5 mg/A)0.5 A ＋生食 20 mL
  側管からワンショット　30 分以上あけて計 3 回まで OK

■処方例②

【定時薬】
- ハロペリドール注(5 mg/A)1 A ＋
  フルニトラゼパム注(2 mg/A)0.5 A ＋生食 100 mL
  20 時から点滴開始

  ＊「入眠したら滴下を止め,覚醒したら滴下再開」をくり返す

  ＊呼吸抑制に十分注意すること

  ＊投与前に救急処置(バッグバルブマスクやフルマゼニル(ベンゾジアゼピン受容体拮抗薬)など)の準備をしておくこと

  ＊投与中はパルスオキシメーターや血圧計などで呼吸・循環動態を継続的にモニタリングすること

【日中落ち着かないとき】
- ハロペリドール注(5 mg/A)0.5 A ＋生食 20 mL
  側管からワンショット　30 分以上あけて計 3 回まで OK

- パーキンソン病や重症心不全，レビー小体型認知症でハロペリドールが使用できない場合は，やむを得ずヒドロキシジンを単独で投与するか（ヒドロキシジンによるせん妄の惹起に注意），アセナピン（舌下錠）の使用を考慮します．
- **アセナピン**は適度な鎮静作用をもち，抗コリン作用の少ない抗精神病薬です．舌下錠ですが，舌下のみならず舌上，バッカル（歯茎と頬の間）などでも吸収されるため，注射薬の代替薬になりえます．
- また，アセナピンはさまざまな受容体に作用する抗精神病薬で，クエチアピンやオランザピンと同じグループに属するのですが，糖尿病患者さんへの投与が禁忌ではありません．ただし，投与後10分間は飲食禁止となっており，そのことを医療者間で十分共有しておく必要があります．なお，舌の違和感（痛みなど）を訴える場合があることを知っておきましょう．

ハロペリドールを使用できない場合の処方例

■**処方例③**

【定時薬】
- ヒドロキシジン注（50 mg/A）1 A ＋生食 100 mL
 20時から1時間かけて点滴

【不眠時】
- ヒドロキシジン注（25 mg/A）1 A ＋生食 20 mL
 側管から1分以上かけて緩徐に静注
 30分以上あけて計3回までOK

【不穏時】
- ヒドロキシジン注（50 mg/A）1 A ＋生食 20mL
 側管から2分以上かけて緩徐に静注
 30分以上あけて計3回までOK

■**処方例④**

【定時薬】
- アセナピン舌下錠 5 mg　夕食後
 ※舌下投与（水などで飲み込まないこと）
 ※口腔粘膜から吸収のため，10分間は飲食禁止

【不眠時】
- アセナピン舌下錠 5 mg　30 分以上あけて計 3 回まで OK
  ※舌下投与(水などで飲み込まないこと)
  ※口腔粘膜から吸収のため，10 分間は飲食禁止

注：2.5 mg にしても OK です(ただし，吸湿性があるため，使用直前に半分に割る必要があります)

【不穏時】
- アセナピン舌下錠 5 mg　30 分以上あけて計 3 回まで OK
  ※舌下投与(水などで飲み込まないこと)
  ※口腔粘膜から吸収のため，10 分間は飲食禁止
  ＊アセナピンは 1 日最大用量が 20 mg のため，不眠時と同用量

2) 間欠的鎮静／持続的鎮静を目標とする場合

- せん妄による苦痛は，疼痛や倦怠感，呼吸困難などの身体的苦痛と同様に，鎮静の対象となりえます．
- 終末期において不可逆性せん妄がみられ，**治療抵抗性の苦痛(『①すべての治療が無効である』あるいは『②患者の希望と全身状態から考えて，予測される生命予後までに有効でかつ合併症の危険性と侵襲を許容できる治療手段がないと考えられる』のいずれかを満たす苦痛)** をみとめる場合，その緩和を目的に，**最終的な手段として，意識を落とすための鎮静**が行われます．
- 医療者は，終末期における鎮静の目的が「苦痛の緩和」であることを，十分理解・認識しておく必要があります．
- 薬剤による鎮静には，間欠的鎮静と持続的鎮静の 2 種類があります(表 8)．

・間欠的鎮静
- 間欠的鎮静は，例えばせん妄の**症状に日内変動がある**際などに用います．すなわち，せん妄が激しい(苦痛が強い)時間帯に鎮静を行い，せん妄が軽度な(苦痛が少ない)ときには鎮静を浅くするように薬剤を調整します．

表8 鎮静の種類と使用薬剤[6]

鎮静の種類		定義	対象	薬物療法
間欠的鎮静 (短時間)		一定期間(通常は数時間)意識の低下をもたらしたあとに鎮静薬の中止・減量を行い,意識の低下しない時間を確保する鎮静	せん妄に日内変動がある場合	抗精神病薬とベンゾジアゼピン受容体作動薬の併用
持続的鎮静 (長時間)	調整型鎮静	苦痛に応じて少量から調節する鎮静	せん妄が1日中顕著な場合	十分量のベンゾジアゼピン受容体作動薬の単独投与
	持続的深い鎮静	深い鎮静状態を維持する鎮静		

- 間欠的鎮静では,睡眠覚醒リズムを整え,日中にコミュニケーションがとれる時間を確保することなどを目標として,注射薬のミダゾラムやフルニトラゼパムがよく用いられます.
- なかでも,**ミダゾラム**は半減期が短く,用量調整がしやすい(投与中止後の覚醒が得られやすい)ため,きわめて**有用**です.
- ただし,ミダゾラムは耐性をつくりやすく,長期間の連用で効果が薄れて増量せざるを得なくなるため,十分注意が必要です.
- また,ミダゾラムやフルニトラゼパムなどのベンゾジアゼピン受容体作動薬を単独で用いると,せん妄を悪化させる可能性があるため,抗精神病薬のハロペリドールなどと併用しましょう.

間欠的鎮静を目的とした処方例

- ハロペリドール注 (5 mg/A) 1 A +ミダゾラム注 (10 mg/A) 1 A +生食 100 mL (ハロペリドール 0.05 mg/mL,ミダゾラム 0.1 mg/mL)
  ミダゾラム 5 〜 10 mL/ 時で持続点滴を開始し,1 時間量の早送りなどで調整
- ＊覚醒をめざす時間の 2 時間前に投与を終了
- ＊呼吸抑制に十分注意すること

> *投与前に救急処置(バッグバルブマスクやフルマゼニル(ベンゾジアゼピン受容体拮抗薬)など)の準備をしておくこと
> *投与中はパルスオキシメーターや血圧計などで呼吸・循環動態を継続的にモニタリングすること

・**持続的鎮静**

- 持続的鎮静には,鎮静のための薬剤を少量から開始し,せん妄の強さ(苦痛の強さ)に応じて調整する「**調整型鎮静**」と,深い鎮静となるようにやや多めの量から開始する「**持続的深い鎮静**」の2通りがあります.
- 持続的鎮静では,間欠的鎮静と同じくミダゾラムがよく用いられますが,**単独で使う**ことになるため,せん妄を悪化させることがないように,**十分量**を用いることになります.
- また,在宅医療では,ブロマゼパム坐剤やジアゼパム坐剤を用いることがあります(適宜増減).

持続的鎮静を目的とした処方例

■**処方例①**
- ミダゾラムを生食で希釈して使用

*「調整型鎮静」では 0.5 mg/ 時で持続点滴開始.効果不十分なときには呼吸状態などを確認のうえ早送りなどで調整し,増量して維持量を決定する
*「持続的深い鎮静」では 3 mg/ 時で持続点滴開始.目的とする鎮静が得られたら,減量して維持量を決定する
*呼吸抑制に十分注意すること
*投与前に救急処置(バッグバルブマスクやフルマゼニル(ベンゾジアゼピン受容体拮抗薬))の準備をしておくこと
*投与中はパルスオキシメーターや血圧計等で呼吸・循環動態を継続的にモニタリングすること

■**処方例②:在宅医療における持続的鎮静**
- ジアゼパム坐剤 6 mg 朝・夕1回ずつ肛門内に挿入

■ 処方例③：在宅医療における持続的鎮静
- ブロマゼパム坐剤　3 mg　朝・夕1回ずつ肛門内に挿入

- 持続的鎮静を目的に鎮静薬の投与を行う際には，A．相応性，B．医療者の意図，C．患者・家族の意思，D．チームによる判断という，4つの要件を確認するプロセスが必要です（表9）．

表9　持続的鎮静薬の投与を行う要件[6]

A．相応性

苦痛緩和をめざすいろいろな選択肢のなかで，鎮静が相対的に最善と判断される．すなわち，苦痛の強さ，治療抵抗性の確実さ，予測される患者の生命予後，効果と安全性の見込みから考えて，持続的な鎮静薬の投与は妥当な方法である．

B．医療者の意図

1) 医療チームが鎮静を行う意図が苦痛緩和であることを理解している．
2) 鎮静を行う意図（苦痛緩和）からみて適切な薬剤，投与量，投与方法が選択されている．

C．患者・家族の意思

1) 患者
   ①意思決定能力がある場合：必要な情報を提供されたうえでの苦痛緩和に必要な鎮静を希望する意思表示がある．
   ②意思決定能力がないとみなされた場合：患者の価値観や以前の意思表示に照らして，患者が苦痛緩和に必要な鎮静を希望することが推測できる．
2) 家族がいる場合には家族の同意があることが望ましい．

D．チームによる判断

1) 医療チームの合意がある．多職種が同席するカンファレンスを行うことが望ましい．
2) 意思決定能力，苦痛の治療抵抗性，および予測される患者の生命予後について判断が困難な場合には，適切な専門家〔緩和医療医，精神科医，心療内科医，麻酔科医（ペインクリニック医），腫瘍医，専門看護師など〕にコンサルテーションすることが望ましい．

- なお，持続的鎮静を行う際には，ご家族への説明として，「医療チームで鎮静以外の手段について検討を重ね，実際にそれを行ってきましたが，残念ながら十分な効果は得られていません．したがって，今の患者さんの苦痛を和らげる方法として，鎮静が最も望ましいと考えています」「鎮静によって生命が短縮する可能性は，一般的には少ないと考えられています」[7]のように，明確に伝えるようにしましょう．

●非薬物療法

- 不可逆性せん妄の薬物療法では，不眠，幻覚・妄想，不安・焦燥など，患者さんの苦痛となっている症状の緩和が主な目的でした．非薬物療法では，患者さんが自分らしく穏やかに過ごせることや，可能な範囲でコミュニケーションがとれることに加えて，ご家族に対するケアやサポートがきわめて重要です．

- ご家族がすでに患者さんの「可逆性せん妄」を経験している場合，「今回のせん妄も改善するもの」と考えていることがあります．そこで，ご家族の認識などを確認したうえで，「今回のせん妄は前回と異なり，原因をとり除くことができないため，せん妄からの回復が難しい」ことを明確に伝え，今後の見通しや治療方針などを共有する必要があります（表10）．

表10　不可逆性せん妄に対する説明内容

① せん妄とはどのようなものか
② せん妄の原因
③ せん妄から回復する可能性が低いこと
④ 不眠や幻覚，不安・焦燥などの症状の緩和を目的とした治療内容（薬物療法やケアなど）
⑤ ご家族に行ってほしいケア内容

- ただし，せん妄からの改善が困難という厳しい現実は，ご家族

にとってにわかには受け入れがたく,大きなショックをもたらす可能性があります.したがって,「せん妄が不可逆であること」や「医療者が鎮静の選択肢を考えていること」などを伝える際には,ご家族の心情に十分配慮しましょう.

- ご家族は,その置かれた状況によって,いろいろな役割や側面があります(表11).

表11 終末期にせん妄がみられた際の家族の役割・側面と留意点

役割・側面	医療者における留意点
①患者の家族	・アンヴィヴァレントな考えや感情(眠ってでも苦しみをとり除いてあげたい反面,起きて話をしてほしい/もう苦しまずに最期が来てほしい反面,長く生きていてほしい)を持ちやすいことを理解したうえで,共感的にかかわる必要がある.
②患者の代弁者	・患者が意思表示できない場合,今後の治療方針や療養場所の選択を家族が患者に代わって行うことになるため,その意思決定のサポートを行う. ・家族は,患者の生い立ちや性格,価値観,人生観などを知っていることが多いため,その意思を十分に尊重する. ・ただし,大きな決断をしなければいけないということに重圧を感じ,不安や負担が強まる場合があるため,その心情に配慮する必要がある.
③ケアの提供者	・患者に対する適切なケア内容について,具体的に伝えるようにする. ・ケアのどのようなことに不安をもっているかなどについて,十分共有しながら進めることが重要である.
④ケアの受け手	・家族は,患者のケアに力を注ぐあまり,自分自身のことはおろそかになりがちであることに留意する必要がある. ・家族は無力感を感じたり,心身ともに疲弊した状態が続いたりすることがあるため,いわゆる「第2の患者」となる可能性を考えながらサポートを行う.

- 例えば,「患者に対してケアを行う」存在であるとともに,「自分自身もケアが必要になる可能性がある」存在です.したがっ

て，終末期におけるせん妄では，医療者は常に**家族ケアの視点**をもち，多職種で積極的に心身のサポートを行いましょう．

- また，医療者はせん妄に関して多くの知識や経験をもっており，終末期における急激な変化に対しても，ある程度予測しながら対応することが可能です．ただし，ご家族にとってはすべてがはじめてで，わからないことの連続であるため，大きな戸惑いや混乱をきたすことがあります．したがって，医療者はご家族の理解度をその都度確認しながら，適切かつ具体的に情報提供を行うのがよいでしょう．

- その他，在宅医療でがん患者さんがせん妄を発症した場合，病院で医療者が行っていたせん妄ケアは，今度はご家族がその大半を担うことになります．したがって，入院中にせん妄を発症していなくても，在宅医療に移行する場合は，なるべく早い段階でご家族にせん妄の対応について説明しておくのがよいでしょう．

参考文献

1) Meagher D：Motor subtypes of delirium: past, present and future. Int Rev Psychiatry, 21：59-73, 2009
2) Hosie A, et al：Delirium prevalence, incidence, and implications for screening in specialist palliative care inpatient settings: a systematic review. Palliat Med, 27：486-498, 2013
3) Tuma R & DeAngelis LM：Altered mental status in patients with cancer. Arch Neurol, 57：1727-1731, 2000
4) Morita T, et al：Terminal delirium: recommendations from bereaved families' experiences. J Pain Symptom Manage, 34：579-589, 2007
5) Lawlor PG, et al：Occurrence, causes, and outcome of delirium in patients with advanced cancer: a prospective study. Arch Intern Med, 160：786-794, 2000
6) 「がん患者の治療抵抗性の苦痛と鎮静に関する基本的な考え方の手引き 2018年版」（日本緩和医療学会ガイドライン作成委員会/編），金原出版，2018
7) Maeda I, et al：Effect of continuous deep sedation on survival in patients with advanced cancer (J-Proval): a propensity score-weighted analysis of a prospective cohort study. Lancet Oncol, 17：115-122, 2016

> Column

＊「がん患者におけるせん妄ガイドライン 2022年版」について

　医療における「過失」とは，例えば誤った治療や誤診，誤薬などを指します．過失の結果として，患者さんに心身の障害や死亡などの医療事故が発生した場合，つまりそこに因果関係が存在すると判断された場合には，法的責任が発生することになります．

　せん妄に関連する医療訴訟が起こった場合，裁判所は診療ガイドラインを重要な根拠とすることが多いようです．過失と診療ガイドラインの関係について，ガイドラン遵守事例における過失認容率は約2％であるのに対して，非遵守事例では約47％と報告されています[1]．したがって，実臨床で判断に迷う際には，ガイドラインに沿った標準的な治療を行うのがよいと考えられます．

　がん患者にみられるせん妄は，特に終末期では多くの要素が関与するため，臨床判断に迷う場面に遭遇します．そのような際，日本サイコオンコロジー学会と日本がんサポーティブケア学会によって刊行された「がん患者におけるせん妄ガイドライン2022年版」[2] が大いに参考になります．

　本ガイドラインでは，以下のような12の臨床疑問（Clinical Question：CQ）があげられています．そして，各臨床疑問についてシステマティックレビューが行われたうえで，適切なプロセスを経て推奨文や推奨の強さなどが作成されています．詳細については，ぜひガイドラインをご参照ください．

1. がん患者に対して，せん妄の発症予防を目的として推奨される非薬物療法にはどのようなものがあるか？
2. がん患者に対して，せん妄の発症予防を目的に抗精神病薬を投与することは推奨されるか？

3. がん患者のせん妄には,どのような評価方法があるか?
4. がん患者のせん妄には,どのような原因(身体的要因・薬剤要因)があるか?
5. せん妄を有するがん患者に対して,せん妄の症状軽減を目的として,抗精神病薬を投与することは推奨されるか?
6. せん妄を有するがん患者に対して,せん妄の症状軽減を目的として,トラゾドンを単独で投与することは推奨されるか?
7. せん妄を有するがん患者に対して,せん妄の症状軽減を目的として,ヒドロキシジンを単独で投与することは推奨されるか?
8. せん妄を有するがん患者に対して,せん妄の症状軽減を目的として,ベンゾジアピン系薬を単独で投与することは推奨されるか?
9. せん妄を有するオピオイド投与中のがん患者に対して,せん妄の症状軽減を目的として,オピオイドスイッチングを行うことは推奨されるか?
10. せん妄を有するがん患者に対して,せん妄の症状軽減を目的として,推奨される非薬物療法にはどのようなものがあるか?
11. がん患者の終末期のせん妄に対して,せん妄の症状軽減を目的として推奨されるアプローチにはどのようなものがあるか?
12. せん妄を有するがん患者に対して,家族が望むケアにはどのようなものがあるか?

参考文献

1) 桑原博道,淺野陽介:特別寄稿2 ガイドラインと医療訴訟について-弁護士による211の裁判例の法的解析-Minds診療ガイドライン作成マニュアル.p6,2015
https://minds.jcqhc.or.jp/s/guidance_special_articles2_1
2) 「がん患者におけるせん妄ガイドライン2022年版 第2版」(日本サイコオンコロジー学会,日本がんサポーティブケア学会/編),金原出版,2022

巻末資料

せん妄ハイリスク患者ケア加算に係るチェックリスト

(患者氏名) ＿＿＿＿＿＿＿＿＿＿ 殿

入院日：令和　　年　　月　　日
リスク因子確認日：令和　　年　　月　　日
せん妄対策実施日：令和　　年　　月　　日

1. せん妄のリスク因子の確認

（該当するものにチェック）
☐ 70歳以上
☐ 脳器質的障害
☐ 認知症
☐ アルコール多飲
☐ せん妄の既往
☐ リスクとなる薬剤(特にベンゾジアゼピン系薬剤)の使用
☐ 全身麻酔を要する手術後又はその予定があること

▼

2. ハイリスク患者に対するせん妄対策

（リスク因子に1項目以上該当する場合は、以下の対応を実施）
☐ 認知機能低下に対する介入(見当識の維持等)
☐ 脱水の治療・予防(適切な補液と水分摂取)
☐ リスクとなる薬剤(特にベンゾジアゼピン系薬剤)の漸減・中止
☐ 早期離床の取組
☐ 疼痛管理の強化(痛みの客観的評価の併用等)
☐ 適切な睡眠管理(非薬物的な入眠の促進等)
☐ 本人及び家族へのせん妄に関する情報提供

▼

3. 早期発見

せん妄のハイリスク患者については、せん妄対策を実施した上で、定期的にせん妄の有無を確認し、早期発見に努める。

※1 せん妄のリスク因子の確認は入院前又は入院後3日以内に行う。
※2 せん妄対策はリスク因子の確認後速やかに行う。

出典：厚生労働省「令和2年度診療報酬改定について」より

Confusion Assessment Method (CAM)

1. 急性発症と変動性の経過

- 精神状態は，ベースライン時と比べて急激な変化がある
- 異常な行動が日内で変動する
  （例：異常な行動が現われたり消えたりする／程度が増減しがちである）

2. 注意散漫

集中することが困難である
（例：他のことに気を取られやすい／人の話を理解することが難しい）

 2つとも該当

3. 支離滅裂な思考

思考のまとまりがないか，あるいは支離滅裂である
（例：とりとめのない話や無関係な話をする／不明瞭，または筋の通らない考え方をする／意図が予測できず，変化についていけない）

4. 意識レベルの変化

全体的に見て，意識レベルは異常である

意識清明	正常
過覚醒（過度に過敏）	異常
傾眠（すぐに覚醒する）	
昏迷（覚醒困難）	
昏睡（覚醒不能）	

 1つでも該当

せん妄の可能性あり

(p133 文献10を参考に作成)

巻末資料

Delirium Screening Tool (DST)

A. 意識・覚醒・環境認識のレベル

現実感覚	夢と現実の区別がつかなかったり，物を見間違えたりする．（例：ゴミ箱がトイレに，寝具や点滴のビンがほかのものに，さらに天井のシミが虫に見えたりするなど）
活動性の低下	話しかけても反応しなかったり，会話など人とのやりとりがおっくうに見えたり，視線を避けようとしたりする．一見すると「うつ状態」のように見える．
興奮	ソワソワして落ち着きがなかったり，不安な表情を示したりする．あるいは，点滴を抜いてしまったり，興奮し暴力をふるったりする．ときに，鎮静処置を必要とすることがある．
気分の変動	涙もろかったり，怒りっぽかったり，焦りやすかったりする．あるいは，実際に泣いたり怒ったりするなど，感情が不安定である．
睡眠-覚醒リズム	日中の居眠りと夜間の睡眠障害などにより，昼夜が逆転していたり，あるいは，1日中，明らかな傾眠状態にあり，話しかけてもうとうとしていたりする．
妄想	最近新たに始まった妄想（誤った考えを固く信じている状態）がある．（例：家族や看護師がいじめると言ったり，医者に殺されるなどと言ったりする）
幻覚	幻覚がある．現実にはない声や音が聞こえる．実在しないものが見える．現実的にはありえない，不快な味や臭いを訴える（例：口がいつもにがい・しぶい，イヤな臭いがするなど），身体に虫が這っているなどと言う．

 1つでも該当

B. 認知の変化

見当識障害	見当識（時間・場所，人物などに関する認識）障害がある．（例：昼なのに夜だと思ったり，病院にいるのに，自分の家だと言うなど，自分がどこにいるのかわからなくなったり，看護スタッフを孫だと言うなど，身近な人の区別がつかなかったりする）
記憶障害	最近，急激に始まった記憶の障害がある．（例：過去の出来事を思い出せない．さっき起こったことも忘れる）

 1つでも該当

C. 症状の変動

現在の精神症状の発症パターン	現在ある精神症状は，数日から数週間前に，急激に始まった．あるいは，急激に変化した．
症状の変動性	現在の精神症状は，1日の内でも出たり引っ込んだりする．（例：昼頃は精神症状や問題行動もなく過ごすが，夕方から夜間にかけて悪化するなど）

 1つでも該当

せん妄の可能性あり

(p133 文献 11 を参考に作成)

巻末資料

Confusion Assessment Method in the ICU (CAM-ICU)

1. RASS の評価

 −3 以上（−3 ～ ＋4）＊中等度鎮静状態以上

2. 急性発症または変動性の経過

- 基準線からの精神状態の急性変化がある　または
- 患者の精神状態が過去 24 時間で変動する

 いずれか該当

3. 注意力の欠如

次の 10 個の数字を読み，1 のときに手を握ってもらうよう指示

2 3 1 4 5 7 1 9 3 1

エラー：1 のときに握りしめなかった回数と
　　　　1 以外のときに握りしめた回数の合計

 エラー 3 回以上

4. 意識レベルの変化（実際の RASS） せん妄の可能性あり

 0 である　　　0 以外

5. 無秩序な思考

下記の質問と指示をする

〈質問〉
- 石は水に浮くか？（葉っぱは水に浮くか？）
- 魚は海にいるか？（象は海にいるか？）
- 1 グラムは 2 グラムより重いか？（2 グラムは 1 グラムより重いか？）
- 釘を打つのにハンマーを使うか？（木を切るのにハンマーを使うか？）

〈指示〉
- 2 本の指を上げてみせ，同じことをさせる．反対の手で同じことをさせる

 エラー 2 つ以上

せん妄の可能性あり

(p133 文献 12 を参考に作成)

Intensive Care Delirium Screening Checklist (ICDSC)

それぞれ8時間のシフトすべて，あるいは24時間以内の情報に基づき，下記を評価

①意識レベルの変化	反応がない，あるいは反応を得るために強い刺激が必要（ほとんどの時間昏睡あるいは昏迷状態）	— （評価不能）
	傾眠，あるいは反応を得るために軽度～中等度の刺激が必要	1点
	過覚醒	
	覚醒，あるいは容易に覚醒する睡眠状態	0点
②注意力欠如	会話の理解や指示に従うことが困難	1点
	外からの刺激で容易に注意がそらされる	
	話題を変えることが困難	
③失見当識	時間・場所・人物のいずれかの明らかな誤認	1点
④幻覚, 妄想, 精神障害	幻覚あるいは幻覚から引き起こされていると思われる行動（例：空を掴むような動作）	1点
	現実検討能力の総合的な悪化	
⑤精神運動的な興奮あるいは遅滞	患者自身あるいはスタッフへの危険を予測するために追加の鎮静薬あるいは身体抑制が必要となるような過活動（例：静脈ラインを抜く，スタッフを叩く）	1点
	活動の低下	
	臨床上明らかな精神運動遅滞（遅くなる）	
⑥不適切な会話あるいは情緒	不適切な，整理されていない，あるいは一貫性のない会話	1点
	出来事や状況にそぐわない感情の表出	
⑦睡眠／覚醒サイクルの障害	4時間以下の睡眠	1点
	頻回な夜間覚醒（※医療スタッフの行動や大きな音で起きた場合の覚醒を含まない）	
	ほとんど1日中眠っている	
⑧症状の変動	①～⑦の徴候・症状が24時間のなかで変化する（例：勤務帯ごとに異なる）	1点

▼ 4点以上

せん妄の可能性あり

（p133 文献13を参考に作成）

資料リスト

①「せん妄の予防と対策について」

岡山大学病院精神科リエゾンチームが作成したパンフレットです．患者さんやご家族へせん妄について説明する際，ぜひ自由にご活用ください．

URL:
https://www.okayama-u.ac.jp/user/hospital/common/photo/free/files/11014/141206_senmou.pdf
検索：「せん妄　パンフレット」で検索

②「『せん妄』をご存知ですか？　～その予防と対策～」

岡山大学病院精神科リエゾンチームが作成し，実際にベッドサイドのテレビで流している動画（約9分）を，YouTubeにアップしたものです．患者さんは好きなときに見ることができますので，パンフレットと同じようにせん妄についての理解が得られやすくなります．

URL:
https://www.youtube.com/watch?v=Fmv6E2M3IzE&t=2s
検索（Youtube）：「せん妄をご存知ですか？」で検索

③「せん妄患者さんへの対応　～病院施設編～」

岡山大学病院精神科リエゾンチームが作成し，医療者対象の研修会などで使用している動画（約7分）を，YouTubeにアップしたものです．せん妄への対応のポイントについて，わかりやすくまとめていますので，院内外の勉強会などでぜひ自由にご活用ください．

URL:
https://www.youtube.com/watch?v=gmoCd9fIJEQ
検索（Youtube）：「せん妄患者さんへの対応」で検索

④「せん妄ハイリスク患者ケア加算」の流れに沿った介入チャート

本書で参照している，「せん妄ハイリスク患者ケア加算」をふまえた介入チャートです．PDFファイルとしてダウンロードできますので，スマートフォンやタブレットなどに保存して，ご活用ください．

URL:
https://www.yodosha.co.jp/bookdata/9784758123952/9784758123952_chart.pdf

薬剤リスト

※本書に登場する薬剤のみ

	一般名	商品名	主な掲載ページ
抗精神病薬	アセナピン	・シクレスト	148, 156, 163, 253
	アリピプラゾール	・エビリファイ	127, 148
	オランザピン	・ジプレキサ	49, 127, 148, 156, 165
	クエチアピン	・セロクエル	127, 146, 154, 207
	クロザピン	・クロザリル	49
	クロルプロマジン	・コントミン ・ウインタミン	49, 127, 150, 164
	スルピリド	・ドグマチール	127
	チアプリド	・グラマリール	61, 127, 148
	ハロペリドール	・セレネース	127, 150, 158, 167, 207, 252, 255
	ブロナンセリン	・ロナセン ・ロナセンテープ	148, 150, 166
	ペルフェナジン	ピーゼットシー	49
	ペロスピロン	・ルーラン	127, 148, 156
	リスペリドン	・リスパダール	127, 148, 155, 165, 207, 226
	レボメプロマジン	・ヒルナミン	49, 127
抗うつ薬	アミトリプチリン	・トリプタノール	49, 89, 127
	アモキサピン	・アモキサン	49, 127
	イミプラミン	・トフラニール	49, 127
	エスシタロプラム	・レクサプロ	127
	クロミプラミン	・アナフラニール	49, 89, 127
	スルピリド	・ドグマチール	127
	セルトラリン	・ジェイゾロフト	127
	トラゾドン	・レスリン ・デジレル	69, 70, 127, 146, 168, 207, 226

薬剤リスト

	一般名	商品名	主な掲載ページ
抗うつ薬	パロキセチン	・パキシル	49, 89, 127
	フルボキサミン	・ルボックス ・デプロメール	127
	マプロチリン	・ルジオミール	127
	ミアンセリン	・テトラミド	69, 70, 127, 146, 153
	ミルタザピン	・リフレックス ・レメロン	49, 127
	ミルナシプラン	・トレドミン	127
気分安定薬	炭酸リチウム	・リーマス	50
抗不安薬 (ベンゾジアゼピン受容体作動薬)	アルプラゾラム	・ソラナックス ・コンスタン	49, 52, 88
	エチゾラム	・デパス	49, 52, 54, 88
	オキサゾラム	・セレナール	52, 88
	クロキサゾラム	・セパゾン	52, 88
	クロチアゼパム	・リーゼ	52, 88
	クロラゼプ	・メンドン	52, 88
	クロルジアゼポキシド	・コントール ・バランス	52, 88
	ジアゼパム	・セルシン ・ホリゾン ・ダイアップ坐剤	49, 52, 88, 225, 226, 234, 256
	トフィソパム	・グランダキシン	52, 88
	フルジアゼパム	・エリスパン	52, 88
	フルタゾラム	・コレミナール	52, 88
	フルトプラゼパム	・レスタス	52, 88
	ブロマゼパム	・レキソタン ・ブロマゼパム坐剤	52, 88, 257
	メキサゾラム	・メレックス	52, 88
	メダゼパム	・レスミット	52, 88
	ロフラゼプ酸エチル	・メイラックス	52, 88
	ロラゼパム	・ワイパックス	52, 88, 225, 234

	一般名	商品名	主な掲載ページ
抗不安薬 (セロトニン作動性薬剤)	タンドスピロン	・セディール	127
睡眠薬 (ベンゾジアゼピン受容体作動薬)	エスゾピクロン	・ルネスタ	52, 54, 70, 71, 88
	エスタゾラム	・ユーロジン	52, 88
	クアゼパム	・ドラール	52, 88
	ゾピクロン	・アモバン	49, 52, 54, 88
	ゾルピデム	・マイスリー	49, 52, 54, 88
	トリアゾラム	・ハルシオン	49, 52, 54, 88
	ニトラゼパム	・ベンザリン ・ネルボン	52, 88
	ハロキサゾラム	・ソメリン	52, 88
	フルニトラゼパム	・サイレース	49, 52, 54, 88, 150, 161, 252
	フルラゼパム	・ダルメート	52, 88
	ブロチゾラム	・レンドルミン	49, 52, 54, 88, 225
	リルマザホン	・リスミー	52, 88
	ロルメタゼパム	・ロラメット ・エバミール	52, 88, 225
睡眠薬 (オレキシン受容体拮抗薬)	スボレキサント	・ベルソムラ	70, 71
	レンボレキサント	・デエビゴ	70, 72
睡眠薬 (メラトニン受容体作動薬)	ラメルテオン	・ロゼレム	73
抗てんかん薬 (ベンゾジアゼピン受容体作動薬)	クロナゼパム	・ランドセン ・リボトリール	52, 88
	クロバザム	・マイスタン	88
抗てんかん薬	カルバマゼピン	・テグレトール	50
	ゾニザミド	・エクセグラン	50
	バルプロ酸	・デパケン	50, 127, 150, 166

薬剤リスト

	一般名	商品名	主な掲載ページ
抗てんかん薬	フェニトイン	● アレビアチン	50
抗認知症薬	ドネペジル	● アリセプト	127
漢方薬	抑肝散		150, 165
鎮静薬（ベンゾジアゼピン受容体作動薬）	ミダゾラム	● ドルミカム	255, 256
鎮静薬	デクスメデトミジン	● プレセデックス	212
レストレスレッグス症候群治療薬	ガバペンチンエナカルビル	● レグナイト	130
ベンゾジアゼピン受容体拮抗薬	フルマゼニル	● アネキセート	162, 226, 234, 252, 256
パーキンソン病薬	アマンタジン	● シンメトレル	50
パーキンソン病薬	レボドパ	● メネシット ● ドパストン	50
パーキンソン病薬（ドパミンアゴニスト）	カベルゴリン	● カバサール	50
パーキンソン病薬（ドパミンアゴニスト）	プラミペキソール	● ビ・シフロール	50
パーキンソン病薬（ドパミンアゴニスト）	ブロモクリプチン	● パーロデル	50
パーキンソン病薬（ドパミンアゴニスト）	ペルゴリド	● ペルマックス	50
パーキンソン病薬（ドパミンアゴニスト）	ロピニロール	● レキップ	50
パーキンソン病薬（抗コリン薬）	トリヘキシフェニジル	● アーテン	49
パーキンソン病薬（抗コリン薬）	ビペリデン	● アキネトン	49
抗アレルギー薬	オキサトミド	● オキサトミド	128
抗アレルギー薬	クロルフェニラミン	● ポララミン	49
抗アレルギー薬	ジフェンヒドラミン	● レスタミン	49
抗アレルギー薬	シプロヘプタジン	● ペリアクチン	49
抗アレルギー薬	ヒドロキシジン	● アタラックス-P	49, 150, 160, 162, 252, 253
抗アレルギー薬	プロメタジン	● ピレチア ● ヒベルナ	49
消化性潰瘍治療薬	アトロピン	● アトロピン	49
消化性潰瘍治療薬	オメプラゾール	● オメプラール ● オメプラゾン	226, 234

	一般名	商品名	主な掲載ページ
消化性潰瘍治療薬	シメチジン	・タガメット	49
	スルピリド	・ドグマチール	127
	ファモチジン	・ガスター	49, 127
	ブチルスコポラミン	・ブスコパン	49
	ラニチジン	・ザンタック	127
	ラフチジン	・プロテカジン	49
消化管運動機能改善薬	イトプリド	・ガナトン	127
	ドンペリドン	・ナウゼリン	127
	メトクロプラミド	・プリンペラン	127
	モサプリド	・ガスモチン	127
制吐薬	オンダンセトロン	・オンダンセトロン	127
鎮痛薬（オピオイド）	オキシコドン	・オキシコンチン ・オキノーム ・オキファスト	50
	トラマドール	・トラマール ・トラムセット	50
	フェンタニル	・デュロテップMTパッチ ・フェントステープ ・ワンデュロパッチ ・アブストラル ・フェンタニル	50, 128
	モルヒネ	・オプソ ・MSコンチン ・モルペス ・アンペック ・モルヒネ	50
鎮痛薬	ナプロキセン	・ナイキサン	50
抗がん剤	イホスファミド	・イホマイド	128
	カペシタビン	・ゼローダ	128
	テガフール	・フトラフール	128
	フルオロウラシル	・5-FU	50, 128
気管支拡張薬	アミノフィリン	・ネオフィリン	50
	テオフィリン	・テオドール	50

薬剤リスト

	一般名	商品名	主な掲載ページ
降圧薬	クロニジン	● カタプレス	50
	ジルチアゼム	● ヘルベッサー	128
	プロプラノロール	● インデラル	50
	マニジピン	● カルスロット	128
	メチルドパ	● アルドメット	128
	レセルピン	● アポプロン	128
抗不整脈薬	ジソピラミド	● リスモダン	50
	プロカインアミド	● アミサリン	50
	リドカイン	● キシロカイン	50
心不全治療薬	ジゴキシン	● ジゴキシン	50
頻尿治療薬	オキシブチニン	● ポラキス	49
	プロピベリン	● バップフォー	49
免疫抑制薬	メトトレキサート	● メソトレキセート	50
副腎皮質ステロイド	デキサメタゾン	● デカドロン	50
	プレドニゾロン	● プレドニン	50
	ベタメタゾン	● リンデロン	50
抗菌薬	インターフェロン		50, 128
	クラリスロマイシン	● クラリス	72
	セフェピム	● マキシピーム	50
	メトロニダゾール	● フラジール ● アネメトロ	50
抗真菌薬	イトラコナゾール	● イトリゾール	72
	ポサコナゾール	● ノクサフィル	72
	ボリコナゾール	● ブイフェンド	72
抗ウイルス薬	アシクロビル	● ゾビラックス	50
ビタミン製剤	ニコチン酸	● ナイクリン	232
	フルスルチアミン	● アリナミンF	232

索引

欧文

AIUEOTIPS ……………………… 14
AUDIT-C ………………………… 42
CAM ……………………………… 102
CAM-ICU ………………… 103, 210
CIWA-Ar ………………………… 228
CVPPP …………………………… 192
DST ……………………………… 103
EPS ……………………………… 178
H_2 受容体拮抗薬 ………… 82, 245
ICDSC …………………… 104, 210
ICU せん妄 ……………………… 22
NCSE …………………………… 131
NM スケール(N 式老年者用精神状態尺度) ……………………… 39
OLD(初期認知症徴候観察リスト) ……………………………… 37
Payne の式 …………………… 140
POCD …………………………… 204
Serial 7 ………………………… 107
SQiD …………………………… 115
Trousseau 症候群 …………… 243

和文

あ

アカシジアとの鑑別 …………… 125
アパシー ………………… 114, 125
アルコール ……………………… 41
アルコール依存症 ……………… 222
アルコール関連疾患 ……… 45, 224
アルコール多飲 ………… 141, 220
アルコール離脱せん妄 … 206, 220
アルツハイマー型認知症 … 35, 115
怒り ……………………………… 189
意識障害 ………………………… 184
意思決定支援 …………………… 193
胃・十二指腸切除既往 ………… 141
痛み ……………………………… 92
痛みと対応 ……………………… 185
易怒性 …………………………… 113
イレウス ………………………… 213
ウェルニッケ脳症
 ……………… 140, 227, 232, 235
うつ病との鑑別 ………………… 121
運動症状 ………………………… 125
栄養不良状態 …………………… 141

か

可逆性せん妄 …………………… 241
過活動型せん妄 …… 121, 152, 154
ガスターせん妄 ………………… 82
過鎮静 …………………………… 174
活動性低下 ……………………… 113
がん患者 ………………………… 237
肝機能障害 ……………………… 225
環境調整 ………………………… 94
間欠的鎮静 ……………………… 254
感情の障害 ……………………… 188
肝性脳症 ………………………… 141
カンファレンス ………………… 201
肝不全 …………………… 141, 248
緩和医療 ………………………… 237
記憶障害 ………………… 113, 187

索引

急性発症 ……………… 115, 186
禁忌 ………………………… 168
原因薬剤 …………………… 243
原因療法 ……………… 17, 136
幻覚 …………… 110, 113, 187
幻視 …………… 110, 119, 188
見当識障害 …… 106, 113, 187
高 Ca 血症 ………………… 139
高アンモニア血症 … 141, 166, 235
抗うつ薬 ……………………… 89
抗幻覚妄想作用 …………… 146
抗コリン作用 ………… 156, 165
抗コリン薬 ………………… 128
抗精神病薬 ………………… 126
抗精神病薬の副作用 ……… 176
抗パーキンソン病薬 ………… 90
抗ヒスタミン薬 ………… 82, 160
興奮 ………………………… 113
硬膜下血腫 ………………… 235
高齢 ………………………… 34

さ

視空間認知障害 …………… 187
自己免疫性脳炎・脳症 …… 142
持続的鎮静 …………… 254, 257
実行機能障害 ……………… 40
重症心不全 ………………… 158
終末期 ……………………… 248
手術後 ……………………… 53
術後せん妄 ………………… 204
術後認知機能障害 ………… 204
準備因子 ……………… 14, 33

焦燥 …………………… 113, 126
小動物幻視 ………………… 230
小離脱 ………… 44, 227, 232
初期認知症徴候観察リスト(OLD)
………………………………… 37
シリアルセブン …………… 107
自律神経症状 ……………… 230
身体合併症 ………………… 168
身体拘束 …………………… 199
腎排泄 ……………………… 155
腎不全 ……………………… 248
睡眠・覚醒リズム障害 …… 188
スクリーニング …………… 101
ステロイド ………………… 245
説明内容 …………………… 61
全身麻酔 …………………… 53
「せん妄」とは ……………… 12
せん妄の3因子 …………… 14
せん妄の既往 ………… 46, 206
せん妄の中核症状 …… 13, 106
せん妄ハイリスク患者の不眠 … 70
促進因子 …………………… 14

た

代謝・排泄経路 …………… 168
代替薬 ……………………… 88
脱水 ………………………… 92
遅発性ジスキネジア … 181, 215
注意障害 ……………… 106, 184
注射薬 ……………………… 158
中断症候群 ………………… 89
直接因子 ……………… 14, 136

鎮静作用	146
低K血症	165
低Mg血症	139
低Na血症	139
低栄養	92
低活動型せん妄	121, 142, 168, 211, 240
低酸素血症	248
デメリット	196
電解質異常	139
てんかん	131
等価換算表	88
糖尿病	155, 156, 165
頭部外傷	34
投与時間	173

な

難聴	209
日内変動	186
日中の不穏	164
認知症	35
認知症との鑑別	114
脳梗塞	34
脳出血	34
脳腫瘍	34

は

パーキンソン症状	128
パーキンソン病	158
徘徊	113
バッグバルブマスク	226
羽ばたき振戦	141
パンフレット	60
ビタミンB$_1$欠乏	140
筆談	193
非ベンゾジアゼピン系薬剤	54
評価	175
頻尿治療薬	82
不安	113, 126
不可逆性せん妄	241
服薬拒否	183
不眠	92, 113
不眠時指示	74
ペラグラ脳症	227, 232, 235
ベンゾジアゼピン受容体作動薬	48, 52, 82, 128, 155, 245
便秘	92
包括的暴力防止プログラム	192
傍腫瘍性神経症候群	142
傍腫瘍性辺縁系脳炎	243
暴力	192

ま

メリット	196
妄想	113

や

薬剤調整	180
用量	173
抑肝散	150, 165

ら

離脱症状	83
レストレスレッグス症候群との鑑別	129
レビー小体型認知症	115, 119, 158

著者プロフィール

井上 真一郎（いのうえ しんいちろう）
岡山大学病院 精神科神経科

専門分野：リエゾン精神医学，サイコオンコロジー（精神腫瘍学），産業精神医学

略歴：2001年に岡山大学医学部を卒業後，岡山大学病院，高岡病院，下司病院，香川労災病院などを経て，2009年から岡山大学病院で勤務をしています．

ひと言：リエゾンとは「連携」を意味する言葉です．身体疾患に伴ってみられる精神症状に対して，多職種がそれぞれの強みを活かして連携しながら診療にあたることの醍醐味を日々感じています！

せん妄診療実践マニュアル
改訂新版

2019年10月20日 第1版第1刷発行	著 者	井上真一郎（いのうえしんいちろう）
2021年 6月 1日 第1版第3刷発行	発行人	一戸裕子
2022年10月15日 第2版第1刷発行	発行所	株式会社 羊 土 社
2023年10月30日 第2版第2刷発行		〒101-0052 東京都千代田区神田小川町2-5-1 TEL　03（5282）1211 FAX　03（5282）1212 E-mail　eigyo@yodosha.co.jp URL　www.yodosha.co.jp/
©YODOSHA CO., LTD. 2022 Printed in Japan	装 幀	株式会社サンビジネス
	表紙パターン	木村仁美
ISBN978-4-7581-2395-2	印刷所	三美印刷株式会社

本書に掲載する著作物の複製権，上映権，譲渡権，公衆送信権（送信可能化権を含む）は（株）羊土社が保有します．
本書を無断で複製する行為（コピー，スキャン，デジタルデータ化など）は，著作権法上での限られた例外（「私的使用のための複製」など）を除き禁じられています．研究活動，診療を含み業務上使用する目的で上記の行為を行うことは大学，病院，企業などにおける内部的な利用であっても，私的使用には該当せず，違法です．また私的使用のためであっても，代行業者等の第三者に依頼して上記の行為を行うことは違法となります．

JCOPY ＜（社）出版者著作権管理機構 委託出版物＞

本書の無断複写は著作権法上での例外を除き禁じられています．複写される場合は，そのつど事前に，（社）出版者著作権管理機構（TEL 03-5244-5088, FAX 03-5244-5089, e-mail：info@jcopy.or.jp）の許諾を得てください．

乱丁，落丁，印刷の不具合はお取り替えいたします．小社までご連絡ください．

羊土社おすすめ書籍

がん診療における
精神症状・心理状態・発達障害
ハンドブック

小山敦子／編, 吉田健史／他

- 定価4,180円(本体3,800円+税10%)　■ B6変型判
- 215頁　■ ISBN 978-4-7581-1880-4

研修医のための
内科診療ことはじめ
救急・病棟リファレンス

塩尻俊明／監, 杉田陽一郎／著

- 定価7,920円(本体7,200円+税10%)　■ A5判
- 888頁　■ ISBN 978-4-7581-2385-3

各科に本音を聞いた
他科コンサルト実践マニュアル

適切なタイミング、事前に行う/行うべきでない
検査・処置など、重要なポイントを解説

佐藤弘明, 齋藤俊太郎／編

- 定価4,840円(本体4,400円+税10%)　■ B5判
- 323頁　■ ISBN 978-4-7581-2375-4

僕らはまだ、臨床研究論文の
本当の読み方を知らない。

論文をどう読んでどう考えるか

後藤匡啓／著, 長谷川耕平／監

- 定価3,960円(本体3,600円+税10%)　■ A5判
- 310頁　■ ISBN 978-4-7581-2373-0

発行　羊土社　YODOSHA

〒101-0052 東京都千代田区神田小川町2-5-1　TEL 03(5282)1211　FAX 03(5282)1212
E-mail：eigyo@yodosha.co.jp
URL：www.yodosha.co.jp/

ご注文は最寄りの書店、または小社営業部まで

羊土社おすすめ書籍

自信がもてる！
せん妄診療はじめの一歩

誰も教えてくれなかった対応と処方のコツ

小川朝生／著

- 定価3,630円(本体3,300円+税10%)　■ A5判
- 191頁　■ ISBN 978-4-7581-1758-6

本当にわかる
精神科の薬はじめの一歩
改訂第3版

稲田 健／編

- 定価 3,850円(本体 3,500円+税10%)　■ A5判
- 320頁　■ ISBN 978-4-7581-2401-0

救急での
精神科対応はじめの一歩

初期対応のポイントから退室時のフォローまで
基本をやさしく教えます

北元 健／著

- 定価3,960円(本体3,600円+税10%)　■ A5判
- 171頁　■ ISBN 978-4-7581-1858-3

ICUから始める離床の基本

あなたの施設でできる早期離床のヒケツ教えます！

劉 啓文, 小倉崇以／著

- 定価3,850円(本体3,500円+税10%)　■ A5判
- 224頁　■ ISBN 978-4-7581-1853-8

発行　**羊土社** YODOSHA
〒101-0052 東京都千代田区神田小川町2-5-1　TEL 03(5282)1211　FAX 03(5282)1212
E-mail：eigyo@yodosha.co.jp
URL：www.yodosha.co.jp/

ご注文は最寄りの書店、または小社営業部まで